Hoch, Maria Gabriela

Diario de una mujer vital / Maria Gabriela Hoch.

1a ed . - Ciudad Autónoma de Buenos Aires : Vi-Da Global, 2016.

168 p. ; 21 x 15 cm.

ISBN 978-987-34-2687-2

1. Liderazgo. I. Título.

CDD 658.4092

Voces Vitales Argentina
www.vocesvitales.com.ar

IndieLibros
www.indielibros.com

BajaLibros
www.bajalibros.com

María Gabriela Hoch

DIARIO DE UNA MUJER VITAL

Empoderamiento, liderazgo y mentoreo para
tu evolución personal y profesional

▪ Reconocimientos para diario de una mujer vital

"Las experiencias son, probablemente, uno de los aspectos más difíciles de compartir con otros porque son esencialmente personales y, por ello, en cierta medida intransferibles. Sin embargo, María Gabriela Hoch lo intenta y logra hacer de sus vivencias y sus aprendizajes como mujer y como profesional una oportunidad para que otras mujeres que buscan desarrollarse encuentren caminos, ideas, opciones, pasión y fuerza. Habla con voz de amiga, de hermana, de recorrido que confiesa miedos, incertidumbres, inseguridades y enorme coraje. Su libro me recuerda a un bello poema chino que dice: «Una mujer junto a un río jamás tiene sed y junto a una hermana, jamás desespera». Este libro es una hermosa compañía".

MARILEN STENGEL, escritora, consultora y facilitadora grupal especializada en Desarrollo de Talentos.

"Probablemente la vida sea una serie de recorridos. A veces, dos más se unen y el resultado es un cambio profundo para alguien. El recorrido de María Gabriela Hoch por el camino del liderazgo femenino se transformó en un camino al centro de ella misma. Y por suerte, decidió compartirlo. Para cruzarse en otros recorridos: el de sus lectoras. Muchos son los valores de este libro pero creo que su mayor relevancia consiste en la espontaneidad

5

generosa con que su relatora comparte cómo, en el centro mismo de su corazón, una transformación personal converge en experiencia que acariciará, sin duda, el corazón de otras mujeres para transformarlas. No se es igual después de recorrer estas páginas".

SILVIA D'IMPERIO, emprendedora social, escritora.

"María Gabriela Hoch comparte con voz generosa y auténtica su camino de descubrimiento y transformación personal. Desde las páginas de su libro nos contagia su entusiasmo y su pasión por la causa de las mujeres, y nos empodera para encontrar nuestro propio liderazgo y nuestra contribución única al servicio de un mundo mejor".

CLARISA ESEIZA, emprendedora del alma, especializada en psicología analítica en el Centro Junguiano de Antropología Vincular.

"Con voz revolucionaria e inspiradora, con redacciones de actividades concretas y con la humildad de un corazón sincero María Gabriela relata cómo han surgido oportunidades en su vida, su invitación a la mesa grande y cómo ha ido encontrando su compromiso con la sociedad. También comparte la importancia de trabajar en equipo empoderándonos unos a otros con los pies bien puestos en la tierra y con el propósito de crecer todos juntos. Comparte sus principios de cooperación, búsqueda de compromisos sinceros, balance en la calidad de vida incluyendo a la familia. En sus relatos incluye generosas referencias de lo que puede servir de orientación de forma laboral, de *networking*, y también hace mención humildemente de su crecimiento personal y de la importancia de incluir el tema de la trascendencia dentro de un liderazgo encaminado".

CLAUDIA LARA, líder de pensamientos, maestra espiritual, sanadora energética.

"A partir de su experiencia como madre, profesional y colaboradora de Voces Vitales, María Gabriela pone en agenda aspectos importantes respecto del rol de la mujer en la sociedad, en una época en la que aún quedan varios desafíos por resolver. Este libro es también un reflejo de su transformación personal, donde se pone en primer plano algunas de las disyuntivas femeninas en torno a lo laboral, lo familiar y lo espiritual. Aspectos que logran dejar de oponerse, gracias a una visión renovada –y empoderada– de su identidad como mujer".

MARIELA GHENADENIK, Consultora en comunicación, escritora.

▪ Índice

Dedicatoria 11

Agradecimientos 13

Prólogo personal 19

Introducción 25

Capítulo 1 › Voces Vitales: lo global, lo nacional, lo personal: Hacia un liderazgo transformador 33

Capítulo 2 › La conciencia de género: Hacia un liderazgo consciente 57

Capítulo 3 › Todos somos protagonistas - NO a la violencia: Hacia un liderazgo comprometido 87

Capítulo 4 › Mujer y liderazgo: liderazgo femenino: Hacia un liderazgo complementario y compartido 109

Capítulo 5 › Empoderamiento de mujeres: Hacia un liderazgo multiplicador 131

Capítulo 6 › El poder del mentoreo: Hacia un liderazgo solidario y generoso 155

Capítulo 7 › Cadena de favores. Devolver a la vida. Honrarla: Hacia un liderazgo trascendental y espiritual 183

Bibliografía 222

▪ Dedicatoria

Para mi hija Esmeralda y mis hijos Bautista, Conrado y Benicio.

Para las mujeres de mi sistema familiar, mi sobrina y ahijada Catalina, mis sobrinas Penélope y Martina, mi ahijada Renata y mis sobrinos Jerónimo y Joaquín.

Para todas aquellas mujeres que creyeron e invirtieron en mí y me alentaron a cumplir mis sueños.

Para todas las mujeres que con sus voces vitales me han inspirado a creer, crecer y fortalecerme para poder construir un espacio de empoderamiento para todas aquellas voces que todavía no son escuchadas.

▪ Agradecimientos

El que da, no debe volver a acordarse;
pero el que recibe nunca debe olvidar.
Proverbio hebreo

La gratitud en silencio no sirve a nadie.
Gladys Bronwyn Stern

Uno puede devolver un préstamo de oro, pero está
en deuda de por vida con aquellos que son amables.
Proverbio

¡Gracias a la vida, que me ha dado tanto!

Gracias a Marcelo Amden, que fue quien me llamó esa mañana de abril y que sigue al pie del cañón.

Gracias a Alyse Nelson, Pattie Sellers y Chris Miner, por el Programa de Mentoreo Fortune.

Gracias a Melanne Verbeer y su equipo, que me confiaron la realización de la cumbre.

Gracias a Eugenia Podestá y su equipo de colaboradores, quienes siempre estuvieron apoyándonos.

Un "gracias" en mayúsculas a Laura Alonso, Laura Busnelli, Clarisa Eseiza, Lorena Piazze, Daniela Martin, por su incondicionalidad en la fundación de los cimientos de la organización, y a las que se sumaron en esa misma línea, como Vanina Ubino, Lorena Díaz Quijano, Graciela Adán y Gabriela Terminielli. A Gaby también tengo que agradecerle la desfachatez de presentarse espontáneamente ante mí en plena

13

cumbre y hoy ser una colega y amiga incondicional. Gracias también por presentarme a nuestro querido mentor, Guillermo Carracedo.

A Lorena Piazze tengo que agradecerle su tesón, firmeza, perseverancia, constancia y paciencia.

Una mención especial para María Cristóbal, quien confió en mí desde el minuto cero y me abrió la primera puerta.

Gracias a Juan Pablo Maglier, por animarse a ser "bendito entre todas las mujeres".

Gracias a José del Río, por confiar y creer en la idea de generar un espacio y una lista de mujeres líderes en una de las revistas económicas más prestigiosas del país.

Otra mención especial para Lidia Heller, Paola Del Bosco, Patricia Debeljuh, Marilen Stengel, de quienes no solo aprendí de sus conocimientos y experiencias, sino que sus comentarios, ideas y *feedback* me nutrieron y me hicieron crecer personal y profesionalmente.

Gracias a todas las activistas feministas que se cruzaron en mi camino y me tuvieron mucha paciencia (y me siguen teniendo) en todo mi proceso de aprendizaje. Gracias Aileen Allen, Liliana Hendel, Monique Thiteux-Altschul y Silvia Zubiri.

Gracias a las mentoras fundacionales, especialmente a Andrea Grobocopatel, Sonia Salvatierra, María Luisa Fulgueira, Marcela Solanes, Sonia Abadi, Lorna Martin, Sandra Slavkis y Teresa González Fernández.

Gracias a aquellas mentoras que en silencio y con determinación nos apoyaron desde el inicio y al día de hoy, gracias a Viviana Zocco, Silvana Relats, Cecilia Luchia Puig, Paula Marra, Silvia Torres Carbonell, Florencia Braga Menéndez, Guillermina Lazzaro.

Una mención especial para María Inés Baque, Mariana Schoua, Laura García, Lorena Marino, Patricia Furlong, Fabiana Gadow, Cecilia Mosto, Patricia Jebsen, Lola Scotta, Marcela Losardo, Clarisa Estol y Marta Castelli.

Gracias a las aprendices que tomaron la antorcha y se convirtieron en mentoras, colaboradoras, voluntarias, consejeras, emprendedoras y parte activa de la red. Una mención especial a las mujeres de las comunidades de Buenos Aires, Córdoba, Salta, Rosario, Tucumán, Ushuaia, Viedma, Montevideo y Miami, especialmente a María Emilia Vanin, María Laura Faria, Romina Gleria, Milagro López Sanabria, Estefanía Garzón, María Cecilia Ribecco, Regina Martínez Reikes, Romina Soria, Herminia Ledesma, Marilina Henninger, Gianna Massaccesi, Paula Galloti, Rosario Chozas y Mariana López.

Gracias a todas y cada una de las mujeres que se entusiasmaron y fueron sumándose a la iniciativa de generar un espacio para las Voces Vitales de nuestro país y más allá también, ya sea como parte del Directorio, como parte del Comité Ejecutivo o del Consejo Consultivo, como mentoras, aprendices, participantes, colaboradoras, voluntarias. Sería imposible mencionarlas a todas, pero las llevo a cada una en mi corazón y estaré eternamente agradecida por su entrega. Siempre lo dije y lo sostengo: sin su participación, no hubiésemos podido generar este espacio.

Un reconocimiento especial a todas las colaboradoras que con su entusiasmo, entrega y compromiso me ayudaron a construir este espacio desde el "backstage", que aunque hoy puedan no estar, mi aprecio por su esfuerzo y compromiso sigue intacto. Mi agradecimiento especial a Cristina Raunich e Ileana Frauman.

Gracias muy especiales a la periodista Adriana Balaguer, que me convocó a ser columnista de su hoy desaparecido sitio web Mujeres Sin Fronteras, y sin querer queriendo, no solo me estimuló y animó a empezar a descubrir a la escritora que hay en mí, sino que me incitó a generar y compartir contenido.

Gracias a mi querida Silvia D'Imperio, que me ayudó a darle forma a mis escritos de una manera incondicional. No solo fue mi editora de total confianza, sino una amiga que supo y pudo interpretarme, decodificarme y dar voz a mis iniciales borradores. Sin su ayuda no hubiese podido sentarme en la segunda etapa de mi ensayo y volcar todas mis experiencias, vivencias, intención, propósito, sentido y significado. ¡Gracias, Silvi!

Gracias a Mercedes Martí, Alejandra Spinetti, Nora Sánchez, Rosario Chozas, Wendy Ruiz Cofino, Dunia Miranda Mauri, Regina Wong, Jimena Mas, Ángela Camacho, Nancy Cantero, Pilar Mercader, Cecilia Flores, Estefanía Sisatzky, Ana Gabriela Gordo, ángeles y cómplices de esta nueva etapa de mi vida, que con total entrega y generosidad se volcaron de lleno a colaborar en la realización de la primera caminata de mentoreo en Florida, USA.

Gracias a mis queridas amigas y compañeras de vida, que leyeron el manuscrito y que con sus aportes y observaciones me alentaron a pulirlo para publicarlo; gracias a Clarisa Eseiza, Natalia Orsi, Claudia Lara, Alejandra Spinetti, Mercedes Martí, Gabriela Terminielli. Así como a Mariana Massaccesi, que colaboró en la edición del capítulo sobre no violencia, y a Marilen Stengel y Mariela Ghenadenik, que me dieron mi primer *feedback* y *mentoring* editorial. Todas, con su aporte y aliento incondicional me ayudaron a hacer realidad mi sueño.

Gracias al amor de mi vida, Martín, que también leyó el manuscrito y me instó a profundizar en mi trabajo personal.

Gracias a mis adorados hijos: Bautista, Conrado, Benicio y Esmeralda. Cada uno de ellos me inspiró y alentó a hacer de estos escritos un trabajo trascendental.

Gracias a mis padres, que me dieron la vida y me alentaron a ser lo que soy.

Gracias a mi único hermano, Alejandro, que me enseñó el amor y la amistad fraternal.

Gracias a mis abuelitas, Marilyn, Rousie y Poppy, y a todas las mujeres y los hombres de mi línea ancestral. Sin ellos, no seríamos lo que somos.

Gracias a mis amigos, pero especialmente a mis amigas, las de antes, las de ahora, las de siempre, que son mi espejo incondicional.

Gracias a mi querida Grace Fraschina, mi terapeuta junguiana, quien me ayudó a bajarme de mis tacos, y con los pies bien puestos sobre la tierra, me ayudó a balancearme y danzar con los vaivenes de la vida profesional y personal.

Gracias a todas las colaboradoras que tuve y que tengo. No podría mencionarlas a todas, pero mi humilde homenaje y agradecimiento a quienes estuvieron tan cerca de mis hijos, dándome tiempo para dedicarme a mis proyectos profesionales y personales. Gracias a Adelfa, incondicional ama de llaves, niñera, abuela, que con su amor maternal cuidó tanto de nosotros; gracias a Lorena y a Maby, que se ganaron un lugar en nuestros corazones, y gracias a Rosa, Esperanza y Jackie, por sus cuidados en esta nueva etapa.

¡Gracias a la vida que me ha dado tanto!

Gracias a todos mis maestros espirituales y mentores de la vida. Mi eterno agradecimiento y reconocimiento.

¡Gracias totales y bendiciones por doquier!

▪ Prólogo personal

Tal vez las personas comunes compartimos
historias con un ánimo muy similar
al de los exploradores que comparten mapas:
con la esperanza de acelerar el viaje del otro,
pero sabiendo que el viaje que haga cada uno
será únicamente suyo.
Gloria Steinem

Todos tenemos una historia para contar...
La idea de escribir este libro comenzó hace más de cuatro años, prácticamente lo tenía terminado cuando estaba cerrando y empaquetando todo para nuestra mudanza internacional. Solo faltaba que lo revisara una vez más. Había empezado siendo una compilación de mis notas periodísticas, reportajes, columnas de opinión, discursos varios que había dado en diferentes paneles, jornadas tanto en Argentina como en otras partes del mundo. Todos ellos trataban acerca de los aprendizajes que tuve y sigo teniendo sobre la temática de las mujeres que deben lidiar con la igualdad de derechos y oportunidades.

Creí que sería algo sencillo... Algo que podría poner en "automático"... Ya casi estaba terminado...

Mi única pretensión era llamar la atención sobre un tema que quizá muchas mujeres como yo rechazamos o no supimos abrirnos y detenernos a pensar. Estoy convencida de que para que realmente haya un cambio verdadero en la estructura cultural patriarcal, primero tiene que existir la posibilidad de empezar a cuestionarnos ciertas formas, mandatos y estereotipos.

No tengo la sabiduría para pretender arrogarme la verdad de nada. Sé que mi experiencia y la que he recogido de todas las bellas mujeres con las que me he cruzado es mirada y evaluada desde un prisma, el mío, y por ende es absolutamente subjetiva y personal. Este ensayo está lejos de ser un estudio exhaustivo. Es, más bien, un inicio, un puntapié inicial para seguir pensando, reflexionando, tomando conciencia de esta realidad.

Jamás pensé que ese trabajo relativamente "sencillo", "mecánico", que estaba "casi terminado", se transformaría en una verdadera tarea personal, en un proceso de comprensión cabal del concepto real de feminismo y de espiritualidad, en un nuevo diario de vida, en una obra de arte para mí.

No vislumbré para nada en ese momento que, en realidad, la aventura a la que me refería recién estaba comenzando... Yo ya no era la misma. Tenía que volver a empezar...

Volver a empezar... en un momento muy particular a nivel personal, como es una mudanza internacional con toda una familia. Una mudanza al exterior después de más de cuarenta años de vivir en mi adorado país, sin haber jamás considerado vivir fuera de él. Pero era un destino prácticamente inevitable, por lo menos por un tiempo; una experiencia que estaba signada a suceder tanto por razones personales como profesionales.

Sin saberlo en ese momento, me deparaba un período de mucho trabajo interno, en el más amplio sentido de la palabra. Mucha introspección, conexión conmigo misma, conociendo aspectos míos que todavía no había experimentado, echando por tierra prejuicios y mandatos que no sabía que tenía.

Y hablo también del trabajo interno referido al cuidado de la casa, al cuidado y la atención de mis hijos. Comenzaba un período que jamás hubiese imaginado disfrutar tanto: ¡mimar a mis hijos de una manera distinta a la que estaba acostumbrada!

Saber exactamente la temperatura favorita de la chocolatada de uno, las tostadas con dulce de leche de otro; saber de memoria el calendario de actividades escolares y extracurriculares, así como el uniforme que debían ponerse cada día; llevarlos y buscarlos al colegio diariamente y escuchar de primera mano las anécdotas y novedades cotidianas. Es que hasta ese momento, ese trabajo lo había delegado enteramente.

Antes, para mí, una mujer profesional, nada de eso tenía valor ni sentido; era una pérdida de tiempo extrema. Creo que este es uno de los grandes costos que pagamos las mujeres de esta generación que llamo "de transición". El sentir que tenemos que optar entre el trabajo interno o el externo, entre la familia y la profesión, entre lo mundano y la espiritualidad.

Jamás fui consciente de lo importante que todo esto resultaría para mi vida, para mi evolución personal, y lógicamente para el libro y mis proyectos en general. Me resultó un ejercicio en el que empecé a mirar con los dos ojos bien abiertos, con más amplitud y nitidez... como corrigiendo defectos de visión que pudiera tener.

Descubrí, como uno de los secretos mejor guardados que mi gran desafío tenía que ver con una verdadera integración en mi vida. No hay una vida profesional y otra personal. No hay que balancear, solo hay que integrar.

Promediando los dos años y medio de estar instalados en nuestra nueva ciudad, cuando ya sentía relativamente que todos estábamos lo suficientemente adaptados, me vi envuelta en una especie de crisis existencial por pensar que no había hecho absolutamente nada desde que había llegado.

Inmediatamente tomé lápiz y papel y empecé a listar todo lo que había hecho desde que había llegado. No lo que había hecho para mi familia, como si eso fuera poco, sino lo que había hecho por mí, solo para mí. Para mi grata sorpresa, me encontré con un papel lleno de actividades personales, talleres, cursos, objetivos cumplidos, y varias docenas de libros leídos. Y de repente me cayó la ficha... ¿Cuál es esa herida de mi niña interior que necesita demostrar y demostrarse que vale, que no puede perder tiempo? O planteado de otra manera: que si no HACE, no VALE, no ES...

Desde la mirada astrológica, podemos interpretar la vida de los seres humanos en ciclos vitales de siete años. La aventura que les cuento en este libro tiene que ver con un ciclo de vida, el que se conoce como "crisis de la mitad de la vida", un ciclo de liberación y cambio que va de los treinta y cinco a los cuarenta y dos años. Este ciclo busca conectarnos con nuestro deseo más profundo y vital. En este período se puede resignificar verdaderamente cuál es la propia autoridad, si se está realmente comprometido con lo auténtico. Es tiempo de mucha claridad, puede que lo que se vea no sea satisfactorio y algo empuja muy fuerte a cambiar: *¿He sido fiel a mi deseo más genuino? ¿Quién soy en verdad?* Es tiempo de sincerarse con la propia vida.

Este libro se puede leer de atrás para adelante, o de adelante para atrás, o incluso empezando por el capítulo que quieras. No tiene demasiada importancia. Todo conduce a lo mismo. Empieza como termina, y termina como empieza. Es como un mandala. Circular. Porque todo está conectado con todo, porque cada capítulo tiene una intención, un propósito. Porque, en realidad, todo nos conduce a la esencia, y el camino de cada uno es personal y sagrado.

Te invito a que lo tomes como una conversación íntima entre vos y yo, por un ratito juntas, regalándonos este momento, como una especie de *mentoreo*... Quizás en un solo día podamos abordarlo todo, quizá nos lleve varios encuentros, cafecito mediante, o entre mate y mate, en un colectivo, en tu hora de almuerzo, en una plaza o en tu lugar preferido de lectura.

El foco del libro sos vos. Se trata de transmitirte mi experiencia para que descubras tu fuerza vital; para inspirarte a que enciendas tu lucecita interior, tu fuego sagrado, te encuentres con tu propia líder, con tu sabiduría, con tu fuerza arrolladora, con tu poder, tu esencia; para que develes tu visión, tu misión en la vida, y la pongas al servicio de la humanidad.

Si algo de todo esto logro transmitirte con este libro, mi misión, mi mensaje, cobrarán vida. Me siento inmensamente feliz y agradecida por la oportunidad de llegar a vos, confiando en que a través tuyo el mensaje llegará a muchos más...

▪ Introducción

Te susurro un mini resumen de mi historia.

Soy una mujer común y corriente. Nací un 30 de julio de 1971. Leonina. Me llamaron Tissy desde el minuto en que me concibieron. Mis padres se casaron con cuatro meses de embarazo mío pero nadie lo notaba. No podían enterarse. Después de casados no importaba. Algunos juraron que nací cincomesina. No pudieron ponerme Tissy en el documento nacional de identidad. Eligieron ponerme María Gabriela. Gabriela, como mi tía, la hermana más chiquita de mi madre, que en ese entonces solo tenía ocho años. Mamá tenía dieciocho. Papá, veintisiete. Y "María" me agregaron, para que no fuera igual-igual al nombre de mi tía Gabriela.

Vengo de una familia de clase media. De barrio. De Florida. Que sigo amando con la misma intensidad que cuando lo vivía. Nunca nos faltó nada. Nunca nos privamos de nada. Por lo menos así lo experimenté yo. Papá, nieto de inmigrantes ingleses, nacido en Buenos Aires, inmobiliario. Mamá, cordobesa, quiso ser ingeniera, pero no la dejaron. Las mujeres no pueden ser ingenieras. Tampoco fue universitaria. Demasiado difícil, recién mudada sola a Buenos Aires; además con una beba recién nacida, y a los nueve meses con otro bebé en camino.

Me educaron para que fuera lo que quisiera. Mamá me recalcó que no quería que me pasara lo que a ella: creer en el cuento del príncipe azul. Que él vendría, se enamorarían, tendrían hijos y serían felices toda la vida. No. Eso no es verdad. No lo quiero para mi hija. Vos podés ser lo que quieras ser. Estudiá. Trabajá. Lo otro vendrá solo.

Papa también siempre creyó en mí. Me regaló en mi temprana juventud tres libros que hasta el día de hoy son claves para mí. Tienen que ver con comunicación, con desarrollo de relaciones y con espiritualidad. Me supo interpretar.

A mis veintiuno, durante mi último año de carrera universitaria, tuve que superar un duelo durísimo. Quien era mi novio en ese entonces murió en un accidente automovilístico. Incomprensible. Tardó bastante la herida en cicatrizar. Pero allí estaba mi familia fortaleciéndome. Quizá por ello me metí de lleno a recibirme con honores, a desarrollar mi carrera profesional. Me incorporé a una incipiente consultora en comunicación. Éramos cuatro. Terminamos siendo cuarenta. Los servicios de prensa y relaciones públicas eran requeridos como nunca en la Argentina de los 90, cuando los capitales y las empresas extranjeras conquistaban el mundo y mi país.

Me podía pasar un día entero mandando faxes (¡sí, leyeron bien: fax!) a todas las redacciones de las agencias de noticias y diarios nacionales para anunciar la llegada al país de una cadena internacional de supermercados. Al otro día los enviaba a las revistas semanales y mensuales; teníamos más tiempo, el cierre de las revistas es un poco más holgado. Me conocía de memoria los nombres de todos los periodistas, los días de cierre de los medios. El mapa mediático estaba grabado en mi cabeza. Hoy, con un clic, llegamos a todas las redacciones del mundo al mismo instante. Recuerdo como si fuera ayer haber trabajado para la visita de Alvin Toffler al país, venía a hablar de la autopista de la información. No entendía de qué estábamos hablando. Pero no solo convoqué a todos los medios, sino que fue tapa de todos ellos. Así avanzó todo. Es impresionante dónde nos ha colocado la tecnología. Qué desafío. Un desafío mundial. Qué responsabilidad.

María Gabriela. Un nombre que recién empecé a usar cuando salí al mercado laboral. Así me gustaba que me dijeran. Aunque al principio me nombraban y no me reconocía. María Gabriela. Ponía distancia. Necesitaba hacerlo. Era muy seria. Muy profesional. Trabajé durante ocho años en relación de dependencia, ininterrumpidamente. Y cuando digo "ininterrumpidamente", quiero decir que ni siquiera me tomaba vacaciones. No tenía tiempo para eso. Mi energía, mi libido, estaba allí, en mi trabajo. Y vaya que lo disfrutaba. Adrenalina al ciento por ciento. Aprendí todo y más sobre el mundo de las relaciones empresariales, corporativas, la comunicación, los eventos y los medios. Ese era mi mundo. Lo que siempre había querido. Ser el centro organizador de todo. Como Judy, la relacionista pública de "El crucero del amor" (¡este dato también me da de bruces con el paso del tiempo! Seguramente tendrás que ir a Google a buscar de qué se trataba esa serie de televisión). Creía que todo lo podía. No existía el "no" para mis jefes. Para mí tampoco. Si tenía que quedarme hasta las seis de la mañana para terminar un informe, allí estaba yo. Y feliz. Eso pasó más de una vez. Por suerte siempre tenía una compañera tan loca como yo. Nos acompañábamos. Nos divertíamos. ¡Cómo aprendimos!

¿A quién quería demostrarle qué? Creo que a mí misma. También creo que seguía evadiéndome de ese duelo. Competía contra mí. Y me ganaba y superaba diariamente. *¿Para qué?* No sé. *¿Valió la pena?* En parte. ¿Me arrepiento? Jamás. Todo es aprendizaje.

Me enamoré de un sagitariano, también del barrio de Florida. Y, además, había sido compañero mío del secundario. Aunque nunca nos miramos ni nos dirigimos la palabra en esos cinco años. Nos encontramos durante mi último año de universidad. Decimos que recién ahí nos conocimos. Empezó como un juego. Todavía no estaba yo para compromisos. Me tuvo paciencia. El juego fue largo y hermoso. Duró seis años. Algunos lo llaman "noviazgo". No era nuestro caso. No pensaba tener hijos. Estaba ocupada con mi carrera. Ese era mi hijo. Hasta que algo inesperado invadió mi agenda. Amaba mi agenda. Es el día de hoy que sigo teniendo agenda de papel y lápiz, además de las electrónicas. Es de la única manera que puedo planificar. Esto no fue planificado. Desconcierto. Una sorpresa. Empiezo a amigarme con la sorpresa, que de pronto se transformó en una bendición. ¡Dos niños en camino! ¿Estamos preparados? No sé. Él, feliz. Yo también. Lo sellamos con un matrimonio. Hijos del nuevo milenio, Bautista y Conrado. Taurinos.

Así fueron los primeros veintiocho años de mi vida. A partir de estos taurinos mi energía comenzó a moverse para todos lados. No entendía nada. Amaba lanzar productos y servicios nuevos, lidiar con crisis mediáticas de todo tipo. Las horas no me alcanzaban para hacer todo lo que tenía previsto hacer en la jornada laboral. De jornadas de diez, doce horas (cuando no catorce), tenía que pasar a jornadas de solo ocho horas. ¡Y ni hablar del fin de semana! Ya no podía contar con esos días como el gran comodín. Definitivamente el tiempo no me alcanzaba. Tenía que volver a casa. Tenía que ocuparme de mis hijos. ¿Qué clase de madre soy? Mi amor fue instantáneo, lo que no fue instantáneo fue repensar y reacomodar mis prioridades, mis verdaderas posibilidades con esta nueva realidad. Lógico.

Me sorprendí en varias oportunidades llorando de angustia sola en el auto, al regresar de la oficina a casa. De Florida nos mudamos a Tigre. El trayecto desde Puerto Madero era largo. Insoportable y eterno la mayoría de las veces. El tránsito se fue tornando imposible en Buenos Aires. ¿Qué ciudad, no? Llegué a tardar dos horas y media en un viaje que solía durar una. Por primera vez me encontré haciendo cuentas sobre las horas que dedicaba y perdía durante el trayecto. Cuentas para las horas. Obvio. Cuentas para el salario, jamás. Si amo lo que hago. Si hasta podría hacerlo gratis con tal de hacerlo y seguir demostrando a no sé quién lo buena que soy trabajando. Crisis de 2001 en Argentina. Una de las tantas crisis que sufrió nuestro país. Prácticamente la primera que recuerdo yo. O por lo menos, que me pegó tan fuerte. Reducción del 50% de los salarios. Era eso, o echar a la mitad de la oficina. Optamos por eso. Mi marido osó sugerirme que reconsiderara mi esquema de trabajo. Largas horas de ausencia. Trayecto larguísimo y complicado. Reducción salarial. No hacía falta semejante sacrificio. Por lo menos, no de esa forma. No ahora. *¡Jamás!*, fue mi reacción. Esto es lo que quiero. Todo. Madre, profesional. Amo lo que hago. Puedo. *Es tu elección. Te acompaño en lo que definas. Pero sabé que estás jugando a trabajar.* Eso no es trabajar, me dijo. Primer cachetazo de realidad. Bien dado. Quedó ahí flotando en el aire, hasta una semana más tarde, cuando presenté mi renuncia. No daba para más. Pensé tomarme un año sabático. Hacer un máster. Lo hice. Solo que el año sabático se redujo a cuatro meses, interrumpidos por el llamado de un cliente histórico. Me querían con ellos. Llamé a mi exjefa. El que avisa no engaña. Me metí en la empresa de mi cliente solo para ayudarlo durante cuarenta días y coordinar a mi antiguo equipo. Venía el presidente internacional de visita y no querían que nada fallara. Ese era el trato y luego nada más. No fue así.

Fueron mi primer gran cliente. Abrí mi propia consultora de comunicación. Empecé mi camino emprendedor sin querer queriendo. Obtuve mi máster en Gestión de las Comunicaciones (aunque todavía debo la tesis. ¿Podrán tomarme este libro como trabajo de tesis? Veremos…).

No tengo oficina, le dije a mi marido. *¿Cómo voy a hacer?* Y me respondió: *¿Cómo que no tenés oficina? Mis oficinas son tus oficinas.* Segunda lección. Yo pensaba de a uno. Él me enseñó a pensar de a dos…

Mi marido también es emprendedor. Todavía recuerdo como

si fuera ayer cuando de novios me contó entusiasmado lo que quería hacer. *¿Cómo lo ves?*, me preguntó. *Genial, pero ¿te da el tiempo para hacerlo?* Dos meses después, tenía un contingente de sesenta estudiantes para llevarlos a probarse con sus deportes y ganar becas para estudiar en universidades de USA, su proyecto era un éxito. Así fue. Ya pasaron veinte años. *Te hago espacio en la oficina y arrancás ahí.* Fueron diez años. Hermosos. Intensos, pero esta vez conciliando mejor con mi familia, con mi agenda personal. ¡Hasta me tomaba vacaciones! Mi jefa era yo. No me resultó fácil la parte de la administración. Los números. Que fuera rentable. Eso me costó. Tomé envión leyendo *El sexo oculto del dinero* de Clara Coria. Una joyita para empezar a preguntarse por qué nos cuesta tanto a las mujeres ganar dinero, ser verdaderamente independientes económicamente y tener autonomía. Sigo aprendiendo.

Esta es mi historia previa a la "crisis de la mitad de la vida"... La que les contaré en detalle, con la aventura que me animé a transitar.

Alguna vez me preguntaron cuál es el desafío que enfrentaremos las mujeres en los próximos veinte, treinta años. No sé... Pero me arriesgo a decir que el gran desafío en materia de liderazgo es el de tomar conciencia... Conciencia de género... Conciencia espiritual... Ambos, mujeres y varones. Seres humanos motivados, plenos e íntegros..

Nuestra motivación tiene que ver con la integridad y el deseo de hacer una diferencia en el mundo. La integridad tiene que ver con la completitud. Al reconocernos como no completos, la búsqueda de ser mejores y completarnos es permanente. La integridad tiene que ver también con cómo vivimos los valores. Cuando me siento bien con lo que hago, cuando vivo y hago, estando en sintonía con mis valores, eso es integridad. Podríamos decir que la integridad significa que hago lo que digo, y soy quien digo ser.

Entonces, si la integridad consiste en ser verdaderos con nosotros mismos, vivir nuestra propia verdad, hacer la diferencia, tiene que ver con focalizarnos en los otros. Hacer una diferencia es como trasladar tus valores a algo significativo para los otros. Leí por ahí que no se puede ser un gran líder sin ser primero un gran ser humano.

Esto es así...

Es como el *click/send* (apretar un botón y enviar) y que la noticia dé la vuelta al mundo. ¿Queremos ser parte de esta transformación? ¿Queremos ser protagonistas? ¿Queremos acelerar y acompañar este proceso? ¿Queremos allanar el paso para las nuevas generaciones? ¿Queremos dejar huella?... ¿O simplemente seremos espectadores?

No creo que puedas resistir la invitación a sumarte. Tal como no pude resistirme yo.

Comparto mis aprendizajes hasta ahora. Hay mucha tela por cortar. Mucho por decir. Nos pasa a las mujeres... Este camino que se hace al andar... Estoy convencida de que el compartir nos hace más grandes, aunque nos equivoquemos. De eso también se aprende.

Aquí encontrarás una invitación a transformar y transformarte, a concientizar, a comprometerte, a descubrir, a sublimar, a compartir, a despertar, y sobre todo a desarrollar y ejercer un liderazgo trascendental.

¡Vamos de la mano!

Capítulo 1
Voces Vitales: lo global, lo nacional, lo personal

▪ Hacia un liderazgo transformador

*Sean embajadoras de que la voz de la mujer
tiene que estar en las mesas donde se tomen
las decisiones políticas, económicas y sociales...*
Hillary Clinton

*Nuestra experiencia colectiva ha demostrado que
cuando las mujeres tienen el poder de tomar
sus propias decisiones, cosas buenas ocurren...*
Madeleine Albright

*Descubrí que cuando una mujer enciende su luz,
cuando una mujer se reconoce indudablemente como una líder,
no hay realmente nada que ella no pueda hacer...*
Alyse Nelson

Esa mañana de principios de abril de 2007 amaneció lluviosa. Luego de mis tareas cotidianas manejé hasta mi oficina pensando en la agenda, un tanto apretada, que debía cumplir en las próximas horas. Suelo tener algún indicio anticipatorio de las cosas importantes que ocurren en mi vida, en forma de sensación. Esa mañana algo jugaba en mi interior, pero no lo había identificado aún. Llegué a la oficina, realicé una llamada, reuní unos archivos que debía revisar y atendí una consulta telefónica.

La siguiente fue una llamada de la Embajada de los Estados Unidos. Un golpe interior me indicó que algo trascendente llegaba con ella. Sin entender aún del todo aquella sensación, una alerta se encendió en mi mente.

La voz amable me explicó que un programa de mentoreo para mujeres jóvenes con potencial de liderazgo se estaba por realizar en los Estados Unidos, que invitarían a participar a líderes de diferentes países, y uno de ellos era Argentina. También dijeron que mi perfil cuadraba en la iniciativa. Necesitaban saber si estaba interesada en participar.

Me solicitaron una presentación de mi trayectoria profesional, por entonces de quince años y con más de cien programas liderados de comunicación para empresas de gran envergadura, de diferentes mercados e industrias, y de la consultora que había creado hacía cinco años: MGH Communication Management, Relaciones Públicas y Prensa. Acción, pasión, resultados, era su lema, mi lema.

Esa llamada me hizo sentir honrada. Hice la presentación y me dije a mí misma que había hecho un buen papel, que mi parte estaba terminada. Pensé en las otras mujeres que habían recibido el mismo mensaje y en ese momento atravesaban sensaciones como las mías. ¿Sería así?

Sentí simpatía por ellas. Ese "algo" en mi interior me hacía creer que tenía posibilidades. Y que no se trataba solo de una experiencia interesante.

No me equivocaba. Tres semanas después me anunciaron que había sido seleccionada. Otras treinta y dos mujeres, de distintas partes del mundo, también serían parte del Programa de Mentoreo para Mujeres Líderes de la revista *Fortune* y el Departamento de Estado (**Fortune-State Department International Women Leaders Mentoring Program**).

El programa tiene como objetivo brindar a mujeres en situación de liderazgo y con potencial de crecimiento, de todas partes del mundo, la posibilidad de desarrollar sus habilidades de liderazgo, *management* y *networking*, y de conocer y entender la forma de hacer negocios en los Estados Unidos. Ejecutivas de primera línea de grandes corporaciones, **Fortune's Most Powerful Women**, fueron nuestras mentoras para guiarnos, aconsejarnos y orientarnos en nuestro crecimiento profesional.

Me sentía muy entusiasmada y, a la vez, me inquietaba ausentarme de mi país durante un mes, el tiempo que debía pasar en los Estados Unidos para participar del programa. Mis hijos eran muy pequeños: Benicio, mi hijo menor en ese momento, no tenía aún un año y medio, y sus hermanos mayores, mis mellizos, apenas alcanzaban los seis años.

¡Por momentos me parecía una locura!

Recuerdo como si fuese ayer la angustia que me invadió tres noches antes de subirme al avión. Desperté a mi marido con mis sollozos balbuceando que no creía poder soportar estar tan lejos de mis hijos por treinta largos días.

Como siempre, mi marido me alentó y apoyó mi participación. Y no solo eso, sino que ideó un plan para que la separación no fuese tan larga ni tan angustiante para nadie. No me lo confesó en el momento, sino que me dio una gran sorpresa a dos semanas de estar en mi programa, al aparecer con mis tres hijos para pasar un fin de semana juntos, que finalmente se transformó en una semana.

Fui una afortunada. El setenta por ciento de las mujeres que participaban también eran mamás, e incluso de bebés que no llegaban al año, y sin embargo fueron lo suficientemente valientes y grandes como para gozar y sacar provecho de la experiencia, sin visitas de sus familiares, por lo menos no las de mi camada. Supe años más tarde que otras mujeres también tuvieron ese privilegio.

El 28 de abril, un día después de festejar el cumpleaños número siete de mis mellizos con un partido de fútbol con la temática de un clásico argentino Boca-River, partí hacia los Estados Unidos dispuesta a ingresar en el programa que sería el puntapié inicial para un gran cambio en mi vida. Justamente el inicio de la transformación personal que me animó a escribir este libro.

El programa comenzó con una orientación de tres días en Washington DC y continuó con tres semanas de *mentoring* en diferentes ciudades de Norteamérica. El cierre fue en Nueva York.

Junto a mis compañeras, tuvimos la oportunidad de conocer mujeres increíbles tanto del sector público como del privado, de visitar la Casa Blanca, el Departamento de Estado, el Capitolio, el Departamento de Trabajo, el Banco Mundial y Georgetown University. Acudimos a seminarios y entrenamientos sobre liderazgo y manejo de medios. Participamos en cocktails y recepciones con autoridades de gobierno, embajadores y representantes de las organizaciones sociales y compañías más admiradas y respetadas de los Estados Unidos.

Personalmente, el momento cúlmine fue cuando ¡conocimos a Hillary Clinton! Una mujer imponente. Vestida muy sobria, con un traje de pantalón color marrón y una camisa color salmón. Me encandilaron sus ojos celestes con una mirada intensa y a la vez maternal. Precisa, directa y transparente, nos dirigió unas palabras que quedaron grabadas a fuego en mi mente y en mi corazón.

Nos invitó a convertirnos en "embajadoras" de esta enriquecedora experiencia, en nuestros propios países, para que motivásemos a otras mujeres a que asumieran un rol proactivo en sus comunidades, ya sea en el sector privado como en el público. Su mensaje fue contundente: *La voz de la mujer tiene que estar donde se toman las decisiones políticas, económicas y sociales.* La mujer es un agente de cambio, tiene la habilidad y la capacidad de analizar, de observar y de actuar, en distintos temas y situaciones aportando sensibilidad, una mirada generosa y reconocimiento hacia el otro.

¡La mujer puede cambiar el mundo con sus aportes, invertir en ella es sinónimo de prosperidad económica mundial!

Creo que fueron ese encuentro y esas palabras los que desataron el proceso emocional que luego se transformaría en el combustible para encender el motor de mi cambio de mirada y de vida. Fuimos afortunadas en conocerla. No todas las ediciones participantes pudieron. Si bien ella siempre prioriza el encuentro con las jóvenes aprendices venidas de todas las partes del mundo, a veces su agenda no se lo permite. *¿Cómo no lo va a priorizar?* Si *Hillary lleva en su corazón esta iniciativa,* me comentaron en una oportunidad. Fue una iniciativa que nació siendo ella primera dama y Madeleine Albright, secretaria de Estado, se concibió como un programa dentro del Departamento de Estado –luego de la Cuarta Conferencia Mundial de las Naciones Unidas sobre la Mujer celebrada en Beijing–, con el propósito de promover el progreso de la mujer como parte de la política exterior de los Estados Unidos. Luego se constituyó en una organización no gubernamental apartidaria.

Después de los tres primeros días de orientación, en Washington DC, cada una de las treinta y dos mujeres que participábamos del programa nos dirigimos a nuestra mentoría. Esta etapa consistía en compartir tres semanas completas con una mujer líder de una empresa Fortune 500. El Fortune 500 es un ranking que establece anualmente esta revista, clasificando a las principales quinientas empresas del mundo según sus ingresos. Yo debía acompañar a esta mujer, observando cómo se manejaba, cómo interactuaba con sus colaboradores, participando en sus reuniones, entrevistas, encuentros, viajes, eventos, etcétera. ¡No por nada esta etapa recibe el nombre de *shadowing*: realmente debía convertirme en su *sombra*!

Viajé a Nueva York. Mi mentora asignada fue Deborah Fine, en ese momento presidenta de iVillage Properties de NBC Universal, un grupo de comunidades *online* que incluía iVillage.com y Your-TotalHealth.com, con veintisiete millones de miembros mujeres registradas. Antes había creado y lanzado la línea Pink de Victoria Secret, un nuevo concepto de *lingerie* e indumentaria deportiva para jovencitas, así como el desarrollo estratégico de sus canales *online*. Previamente había fundado Avon Future, donde lideró, creó y lanzó una nueva marca y un concepto de negocio para atraer a las nuevas generaciones de compradoras y vendedoras. En su haber, ya contaba con veintitrés años de trayectoria en la industria de los medios, destacándose y ocupando cargos ejecutivos y directivos en prestigiosos medios como Glamour, Vanity Fair, Brides, New York Times Company y la organización de Rupert Murdoch. Recibió numerosos premios y reconocimientos por sus logros, además de haber participado activamente en la búsqueda de fondos para varias organizaciones sociales que apoya fervientemente. Dos años después de haber sido su aprendiz, Deborah se convirtió en presidenta y CEO de Direct Brand, una compañía de marketing directo de libros, DVD y música.

¡Imagínense lo asustada que estaba de conocer a esa mujer! ¡Su perfil me lo decía todo!

El primer encuentro con ella fue en sus oficinas. Cuando entré, ella no estaba, por lo que tuve tiempo de apreciar los detalles de su gran despacho. Enormes ventanales hacia la Quinta Avenida, un hermoso y gran escritorio de madera con un portarretrato de su familia: marido y dos hijos. Un living de cómodos sillones color beige, cual living de una casa, con objetos de decoración y portarretratos por doquier retrataban su camino profesional, los logros alcanzados, premios, fotos con celebridades que incluían a varios presidentes de los Estados Unidos y otras figuras relevantes del sector público y privado. En sus propias palabras lo llamó *Me, I love myself* ("Yo me amo").

Opuesta al living, una mesa rectangular de vidrio con ocho sillas de diseño y, en el centro, una vasija llena de golosinas. Allí presencié varias de sus reuniones privadas con el equipo de Comercialización, el grupo de Relaciones Públicas, y otras direcciones relevantes de la compañía (Recursos Humanos, Finanzas, etcétera). Las reuniones multitudinarias, con todo el equipo que lideraba – aproximadamente unas treinta personas–, las atendía en una sala contigua equipada con tecnología para teleconferencias y todas las comodidades para celebrar desayunos o almuerzos, sus dos momentos preferidos para las reuniones.

Si bien no firmé un convenio de confidencialidad, el buen tino me dice que solo me remita a las generalidades de lo presenciado... ¡Sabrán entender!

Quien manejaba minuciosamente su agenda, y por ende la mía, durante esas tres semanas era su asistente. Me la presentó como su *Mini me* ("Mi pequeña yo"). Para mi sorpresa, hasta filtraba su correo electrónico. Por lo tanto, pasé toda una tarde con ella, y la verdad, fue tan productivo como estar con Debbie.

Debbie resultó una mujer increíble y ¡una máquina de generar acontecimientos! Una verdadera experta en el desarrollo de marcas y empresas lideradas por mujeres. iVillage ofrece diversos servicios basados en medios *online* y fuera de línea a través de los cuales intenta enriquecer la vida de las mujeres, de las adolescentes y de la familia en general, por medio de un contenido único, aplicaciones comunitarias, herramientas y rasgos interactivos.

Acompañándola en su vertiginosa vida, pude ver cómo ella aprovechaba toda oportunidad no solo para dar a conocer su proyecto, sino para promocionar sus habilidades personales. Esto fue muy impactante para mí, pues en un principio me pareció, al menos, raro. Pronto aprendí que no hay liderazgo ni energía para producir cambios sin una parte de "promoción personal", y que esta promoción es un componente del fortalecimiento de nuestros proyectos y de nosotras mismas. Un tema acerca del cual aprendería bastante en los próximos días y años también. Sin embargo, lo que más me impactó al participar en este programa fue conocer a mujeres de todas partes del mundo. Mi grupo estaba formado por mujeres provenientes de Rusia, Sudáfrica, India, Zimbabwe, Hungría, Vietnam, China, Líbano, Egipto, Ruanda, Polonia, Nepal, Nigeria, Bosnia, Palestina, Ghana, Indonesia, Kenia, Perú, etcétera. No solo confieso que tuve que ir al mapamundi para ubicar ciertos países, sino que mi perspectiva con respecto al mundo cambió. Pude representarme el globo terráqueo en mi cabeza. Ciento noventa y ocho países. No estamos solos. Pude sacar la mirada de mi propio ombligo y eso fue una experiencia en sí misma.

Todas teníamos entre treinta y treinta y cinco años, la mayoría madres de niños y/o niñas pequeños, todas ostentando posiciones de liderazgo en emprendimientos propios o dentro de compañías. Y todas en un momento clave de nuestro camino y de nuestra proyección laboral.

Junto a estas mujeres, provenientes de diferentes culturas, con idiosincrasias completamente distintas, descubrí que teníamos las mismas aspiraciones, las mismas inquietudes y la misma sensibilidad. Teníamos ganas de seguir creciendo y desarrollándonos, tanto en lo personal como en lo profesional.

Recuerdo la noche en que llegamos, en un hermoso salón de la planta baja de un hotel de primera línea en Washington DC, donde nos recibieron para una inducción con las palabras de bienvenida informales a cargo de Alyse Nelson, en ese entonces directora ejecutiva de la organización y hoy actual presidenta y CEO.

Esa fue la primera vez que vi a Alyse. Una mujer joven, de unos treinta y dos años aproximadamente, oriunda de California, rubia, de ojos marrones, y con muy lindas facciones. Un aire muy ejecutivo y profesional. Por primera vez la escuché dirigirse a un grupo de personas y quedé anonadada por su magnífica capacidad de oratoria. Admiro eso de ella. Fue como si leyera nuestros pensamientos. Nos fue llevando a que realmente pensáramos que nos merecíamos estar en ese lugar. *Si están aquí es porque alguien cree en ustedes, su estilo de liderazgo llamó la atención y les ven un potencial de liderazgo extraordinario, un potencial transformador...*

El escenario de estas palabras de bienvenida fue gran mesa ovalada que nos contenía a las treinta y dos participantes del programa con nuestros lugares asignados mediante un cartelito con nuestro nombre.

Me sorprendió el tamaño de la mesa. Para que entrasen más de cuarenta personas sentadas cómodas, era realmente grande. Esto fue una constante. En cada uno de los lugares que nos recibían, siempre había una gran mesa ovalada ante la que cabíamos todas y más. No sé si era parte de la estrategia subliminal... pero a mí me quedó claro: la voz de la mujer tiene que estar en las mesas donde se toman las decisiones.

¡Conocer a mis compañeras y compartir con ellas resultó una experiencia sumamente inspiradora! Mujeres de todas partes del mundo alejándose por treinta días de sus afectos: hijos, marido, familia, negocio, casa, país, para entregarse a esta oportunidad única de evolución en nuestras trayectorias.

Como ya comenté, en mi caso, y en el caso de muchas de las mujeres que estábamos allí, pudimos hacerlo porque tuvimos un compañero que nos impulsó y apoyó para que eso sucediera. Mi marido fue mi gran pilar para encarar esta experiencia. Y una mención especial se la lleva mi madre, ¡quien se instaló en mi casa durante los días de mi viaje para que no se notara mi ausencia, por lo menos en lo logístico, y para que mis hijos estuvieran mimados como solo una abuela lo sabe hacer!

En ese momento volví pensando en lo maravilloso que era contar con una red de treinta y dos amigas, en distintas partes del mundo, sin vislumbrar que en realidad me estaba emparentando con una red distribuida en ciento cuarenta y cuatro países con más de mil profesionales y mujeres poderosas, catorce mil líderes emergentes, y que cada una de ellas estaba empoderando a más de quinientas mil mujeres y niñas en sus países de origen. ¡Un mundo de relaciones!

Volviendo a mis treinta y dos amigas de la edición 2007, quizás a la mayoría no vuelva a verlas, pero seguiremos conectadas toda la vida, pues lo que vivimos fue muy intenso e inspirador. Además, nos prometimos acompañarnos y compartir nuestros logros profesionales y personales. Ayudarnos, guiarnos, orientarnos. Ser nuestras propias mentoras, las unas con las otras. Para que eso no quedara en la intención, creamos una plataforma que visitamos regularmente, en la que compartimos nuestras experiencias, dudas e iniciativas.

¿Qué aprendí? Me nutrí de las experiencias ajenas y de las compartidas. El programa me aportó una concepción del liderazgo distinta de la que yo tenía. Y, a la vez, otra visión sobre el mundo y los negocios. Me demostró la sinergia que debe establecerse entre el ámbito público y el privado y, fundamentalmente, me enseñó que la mujer tiene la responsabilidad de llevar su voz a todos los ámbitos de la vida. Y esto solo era la punta del *iceberg*...

Una anécdota que me tocó el corazón: cuando estaba haciendo la valija para volverme a Buenos Aires, alguien tocó a mi puerta. Me asusté. Nunca antes habían tocado a la puerta. Abrí. Era una de las mujeres del programa: Rashmi Tiwari, emprendedora social de la India, una mujer joven, de estatura mediana, con pelo y ojos oscuros, adorable, con la que habíamos compartido almuerzos, paseos, conversaciones profundas y personales. Estaba sosteniendo algo en sus manos, me miró a los ojos y me dijo: *Esto es para vos, es mi sari al que quiero mucho, me gustaría que te lo lleves contigo, pues aprendí mucho de vos.* Me conmoví. Nos despedimos con un fuerte abrazo, sabiendo que probablemente no nos volveríamos a ver... aunque no está todo dicho aún...

El último día del programa fue el 25 de mayo. Una fecha patria en mi país, nada menos que su cumpleaños. La coincidencia no me pasó inadvertida y, sinceramente, me alegró.

Volví a la Argentina con la certeza de que lo que había vivido podía ser una experiencia transformadora para muchas otras mujeres. Volví con la motivación suficiente como para replicar la experiencia aquí. Sabía que necesitaba voluntad y generosidad.

Había corroborado algo, una enseñanza que cambiaría toda mi vida: *Solamente crecemos y nos desarrollamos si ayudamos a que los demás crezcan y se desarrollen.*

Dos acontecimientos impactantes en mi trayectoria profesional: se cierra una puerta y se abre otra, y otra, y otra...

Al regresar a mi oficina me esperaba una bomba. Mi cliente estrella, "la vaca lechera" de mi consultora, quien había sido el responsable en gran parte de mi formación profesional de los últimos diez años, me dejaba. Nueva conducción. *No les gusta que tengas agenda propia.* Esa frase me sacudió y quedó resonando, aturdida, en medio del restaurant L'Orangerie del Hotel Alvear. No podía volver en mí. Hasta que, como en un despertar repentino, dije: *Sí, es verdad, tengo agenda propia.*

Gracias, gracias, gracias por todo este tiempo de aprendizaje. Se cierra una puerta y se abre otra. Tiene que ser de esa manera, ¿o no? Debería ser así... Dudas, tenía por todos lados, claro. Pero estaba convencida de que las cosas son por algo. Para mejor, aunque no lo veamos en el momento.

Tres meses después de ese episodio empecé a constatar que así como algo moría, otra cosa nacía en su lugar:

En octubre del año 2008, Buenos Aires fue elegida sede por Vital Voices Global Partnership para celebrar una década de trabajo en América Latina mediante **una Cumbre Latinoamericana de Mujeres Líderes para el Cambio.** De ella participaron doscientas cincuenta mujeres líderes gubernamentales, sociales, empresarias y jóvenes de América Latina y el Caribe, además de líderes y expertas de Estados Unidos y otros países.

La cumbre hizo hincapié en el papel crítico que las mujeres y niñas pueden y deben tener para realizar avances significativos en el continente, en los asuntos económicos, políticos y sociales.

Durante los cuatro días de la cumbre, las participantes desarrollaron estrategias y planes de acción para enfrentar estos desafíos, creando una red de mujeres líderes para trabajar juntas.

Tuvimos el honor de contar con la participación de la presidenta de la República de Chile, la Dra. Michelle Bachelet, para la apertura de la cumbre, y con la presidenta de la Nación Argentina, la Dra. Cristina Fernández de Kirchner, para el cierre. Dos mujeres poderosas y emblemáticas de Latinoamérica.

En ese contexto, Vital Voices se valió de la oportunidad para entregar a la presidente de la República de Chile, Michelle Bachelet, su prestigioso *Premio al Pionero Global (Global Trailblazer Award).*

Entre quienes fueron previamente distinguidos con este galardón se encuentran Ellen Johnson Sirleaf, presidenta de Liberia; Mohammed Yunus, ganador del Premio Nobel y fundador del Banco Grameen, y Sheikha Lubna al-Qasima, la primera ministra de Finanzas de Medio Oriente.

Haber estado involucrada desde la génesis de la cumbre, haber sido parte activa, junto a mi equipo, de la organización y logística de este gran evento, me llena de orgullo y satisfacción. La gestación del evento fue acompañada por mi tercer embarazo y cuarto bebé. No solo supe que estaba embarazada cuando la organización ya estaba en marcha, sino que veinte días antes del evento tuve una pérdida y me aconsejaron reposo absoluto o riesgo de pérdida del embarazo.

Creo que dos cuestiones demostraron el sentido profundo de lo que hacíamos, poniéndose a prueba en ese momento: uno fue mi enorme entusiasmo y amor por mi bebé y por el trabajo que estaba realizando que, junto con mi capacidad de organización y un equipo a prueba de todo, avanzamos seguras de lograr un evento trascendente. Aun desde mi cama-oficina.

Justamente, fue en mi "cama-oficina" donde una vez, con la bandeja del desayuno además de los clásicos diarios matutinos, me trajeron una revista bastante conocida en mi país, que justo había lanzado una edición especial en la que todas las semanas venía un cuadernillo de colección que hacía alusión a la vida de un santo o una santa, con una estampita de ilustración. Como otro guiño de la vida, así fue como llegó a mis manos la vida de San Ramón Nonato, sobre quien nunca había escuchado. Aprendí que era el patrón de las parturientas, protector de los bebés aún no nacidos. "Ramón" significa "protegido por la divinidad": *Ra*: divinidad + *mon*: protegido. En ese momento comencé a prender todas las noches una velita para pedir por mi bebé… y hasta el día de hoy conservo el hábito, cada vez que llego a casa luego de un día intenso y/o antes de cerrar el día, como un momento sagrado de agradecimiento diario por todo lo vivido, bueno o malo. Como un cable a tierra, en ese entonces, quizás el único minuto de cable a tierra que tenía durante el día, pero me resultaba suficiente.

Sin duda, el otro factor decisivo fue Esmeralda. Mi única hija mujer, mi cuarta hija, la bebé que se gestó junto con la gestación de la fundación argentina. Todo el proceso de creación del capítulo argentino estuvo marcado en lo personal por el embarazo, el nacimiento y los primeros meses de Esmeralda.

La vida, mi vida, una vez más, me daba lecciones de género y espiritualidad. Y yo aprendía, de mí y fundamentalmente de las mujeres que iban acompañando este proceso, aun cuando su presencia en cada situación podía ser circunstancial.

Durante el año 2009, luego del éxito de la cumbre y ya trabajando concretamente en la apertura del capítulo Argentina, realizamos una serie de reuniones tomando el té en el Palacio Duhau de la ciudad de Buenos Aires. Cada una convocaba a unas ocho mujeres provenientes de diversos campos sociales, que ocupaban lugares de liderazgo y se interesaban en la participación de las mujeres en la sociedad. Instancias que nos permitieron identificar a aquellas que poco después serían miembros activos de la organización.

Algo que me llamó poderosamente la atención fue que estas mujeres líderes se conocían poco o nada previamente a estos encuentros, lo que me afianzaba aún más en la convicción de que la necesidad de plasmar una plataforma y red de mujeres líderes en nuestro país era una necesidad acuciante.

Yo vivía bastante lejos del Palacio Duhau y Esmeralda era muy pequeña para esperar varias horas a ser amamantada, de modo que logré disponer de una habitación contigua donde, generalmente, mi madre cuidaba de Esmeralda mientras yo participaba del encuentro. Una de esas tardes, escuchaba llorar a un bebé. Pronto me di cuenta de que ese bebé era mi bebé y que ella tenía hambre. No mucho tiempo antes, explicar esta situación en una reunión formal me hubiese parecido poco profesional. Una vez más, mi rigidez debió ceder a la realidad: expliqué lo que ocurría y a todas les pareció muy bien que buscara a la bebé y la alimentara. La reunión cumplió su cometido. Cosas de mujeres.

Sin duda, Esmeralda llegó para acompañarme en esta inmersión en el mundo de las problemáticas femeninas. Llegó para que las comprendiera no solo con mi conciencia, sino con mi corazón. El primer paso para fomentar el liderazgo en jóvenes líderes argentinas estaba dado. El éxito rotundo de la cumbre **Vital Voices de las Américas: Una Cumbre de Liderazgo para Mujeres** nos había motivado a subir la apuesta y a ponernos a trabajar para construir y dar continuidad a un capítulo local. Las reuniones del Duhau nos pusieron en contacto con la mayoría de las mujeres que ocupaban lugares de liderazgo en nuestro país. Estábamos preparadas y quisimos replicar los exitosos programas y capacitaciones que Vital Voices realizaba en todo el mundo, poniéndolos a disposición de nuestras líderes emergentes argentinas.

Apenas dos años después, mediante una alianza estratégica con la Revista Apertura, la revista corporativa y de negocios más influyente de la Argentina, desarrollamos el primer listado de mujeres líderes de la Argentina. Además, llevamos adelante tres programas de mentoreo, uno con AmCham, la Cámara de Comercio de los Estados Unidos en la Argentina, que congregaba en ese entonces a setecientas empresas norteamericanas en el país, otro con FAME - Foro Argentino de Mujeres Ejecutivas, que aglutinaba en ese entonces a cincuenta mujeres destacadas en diferentes ámbitos, y el último y más innovador, un Mentoring Walk - Caminata de Mentoreo, que se llevó a cabo en diez países al mismo tiempo, el 21 de noviembre de 2010. La historia del Mentoring Walk, la caminata de mentoreo, merece un párrafo aparte y se lo dedicaremos más adelante.

Me reconozco como una mujer con plena convicción y amor por su profesión: la comunicación. Mi experiencia en el programa de mentoreo había precipitado el descubrimiento del sentido de mi fuerza impulsora (lo que me motiva a seguir, por lo que me levanto todas las mañanas con fuerza y ganas de aportar): comunicar a todos los que quieran oír, especialmente a las mujeres, y a las nuevas generaciones de mujeres, que ellas, todas ellas, tienen poder (el mismo que cualquier ser humano) y que deben animarse a descubrirlo, a develarlo y a utilizarlo.

La experiencia del mentoreo había calado más profundo de lo que yo misma me daba cuenta y estaba comenzando a movilizar mis proyectos y mis ideas más antiguas. A la vez, había esclarecido el sentido de mi profesión dándole definición a esta fuerza impulsora. A mi trabajo, tal como se lo comprende en los contextos laborales, se había sumado otro trabajo, tal como se lo comprende en los contextos espirituales: un trabajo de exploración interior. Y esta transformación generaba una energía que fortalecía mi visión, mi misión y mi motivación diaria. Había ingresado en un círculo virtuoso: un proceso de crecimiento integral que incluía el crecimiento de muchas otras mujeres.

Jamás hubiese podido cristalizar este sueño sola. El apoyo, la confianza y la entrega de cada una de las mujeres que viajaron posteriormente al programa de mentoreo Fortune y que, a su regreso se sumaban a construirlo, fue clave.

Lorena Piazze y Clarisa Eseiza fueron las primeras en brindarse incondicionalmente para hacer de este sueño una realidad, así como Daniela Martin, Laura Busnelli y Laura Alonso, pilares fundamentales de los inicios, y luego se fueron sumando Vanina Ubino, Lorena Díaz Quijano y Lola Scotta. Y todas y cada una de las mentoras fundacionales que creyeron y apoyaron sin cesar, y las jóvenes que tímidamente querían zambullirse en esta experiencia que parecía prometer y no se equivocaron.

Todas, TODAS, con sus experiencias, me inspiran e inspiraron a seguir trabajando para y por este espacio de intercambio. Pero debo confesar que lo que más me inspira son las transformaciones de las que he sido testigo, de miles de mujeres anónimas a lo largo y ancho de nuestro país, que han pasado por nuestros programas locales, jornadas de reflexión, encuentros. Tanto las líderes establecidas como las jóvenes con potencial de liderazgo se han encontrado frente a frente con su propio poder transformador, con su verdadera esencia como agentes de cambio, y una vez encendida esa "lucecita", se les refleja claramente, interna y externamente, esa fuerza impulsora que las proyecta hacia la concreción de sus sueños y deseos. Las experiencias de todas y cada una de las participantes Fortune son únicas. Podemos encontrar sin embargo algunos puntos de unión como denominadores comunes. Para todas resultó una experiencia impactante, transformadora, tanto en lo profesional como en lo personal. Asimismo, ninguna se creía merecedora de semejante posibilidad, hasta nos percibíamos como ¡impostoras! Definitivamente alguien se había equivocado al seleccionarnos. El intercambio con las compañeras de edición provenientes de otras partes del mundo fue lo más valioso que todas encontramos, así como la necesidad y las ganas de *pay it forward* (devolver lo recibido haciendo lo mismo por alguien más) al regresar a nuestro país.

Lorena Piazze, participante del programa Fortune en el 2008, creadora de la delegación de Córdoba y actual presidenta de Voces Vitales Argentina, lo cuenta así: *Puedo destacar tres cosas: La primera es la lección de liderazgo. Mi mentora decía que una no es una auténtica líder hasta que no es totalmente auténtica, es decir, ser una misma. Ella me empujó a mirarme internamente, a analizar mi propia autenticidad como líder. Eso me hizo pensar qué difícil es ser exactamente tal cual somos, particularmente cuando chocamos contra las percepciones y expectativas de los otros. Por ahí se espera que hagamos o digamos tal o cual cosa, que sigamos ciertos formatos, ciertos mandamientos que no están escritos en ningún lado pero parece que todos se los saben de memoria: ¿cuándo te vas a casar?*

¿Cuándo vas a tener hijos? ¿Te parece irte a estudiar por tanto tiempo y dejar a tu marido solo? La clave es defender nuestra propia impronta, nuestra marca personal.

La segunda cosa importante la rescato de una nota que hace tiempo le hicieron a una de mis mentoras y con la que me sentí tan identificada. Ella dijo: *"Creo que gran parte de mi crédito es gracias a mis padres, mi papá siempre me decía: «Chica, a ti te han dado dones. Úsalos»". Y lo que él le quería decir con eso era que no solo usase su talento para su propio beneficio, sino que hiciera algo más, algo significativo para el resto. Mis padres siempre me dijeron: "sos distinta, defendelo, disfrutalo y aprovechalo". Cuando volví decidí que todo esto no solo debía ser una buena experiencia para mí, sino que debía ver la forma de que también le llegara a otras personas. En ese momento supe que tenía que ser un agente de cambio y que no volvería a ser la misma. Que debía contagiar a otras con lo que había vivido.*

Clarisa Eseiza, su compañera en la misma edición, mentoreada por Kathy Murphy, en ese momento CEO de una de las divisiones de ING, lo expresó así: *Lo difícil que es creérnosla lo suficiente. Por momentos, en medio de esa experiencia en que me sentía tratada como Cenicienta antes de las doce campanadas, me preguntaba por qué los organizadores habrían decidido destinar tantos recursos (los mejores hoteles, los mejores lugares, lo mejor en todos los rubros) sobre estas treinta desconocidas venidas del mundo en desarrollo. Después de todo, el mensaje hubiera llegado igual... Y de repente entendí que ese trato "privilegiado" era necesario para que cada una creyera lo que le estaban diciendo: que era una líder con el potencial de transformar su mundo.*

Algo pasa cuando un grupo de mujeres se reúne a reflexionar, a compartir penas y sueños y a inspirarse mutuamente. Lo vi en el viaje, y lo vi en Argentina con Voces Vitales. Todos los grupos tienen un gran potencial transformador. Pero los grupos de muje-res, además, tienen esa "magia ancestral" capaz de hacer nacer, nutrir y cuidar. La magia que necesita la sociedad hoy.

Laura Busnelli, empresaria argentina, esposa y madre de dos varones y una nena, dirige su propia empresa de la industria del plástico que manufactura *packaging* para la industria cosmética, fue participante de la edición 2009 de Fortune y lo explica así:

Fui mentoreada por Andrea Jung, CEO de Avon Products, número seis en el ranking de las mujeres más poderosas de la revista Fortune. Parecía estar a años luz de mí y de Buplasa, la empresa que lidero hace más de diez años... En la segunda semana logré que Andrea incorporara a su agenda una cena desestructurada conmigo. Fue un momento íntimo en el que nos conectamos desde nuestro ser mujeres, madres, esposas y empresarias. Más allá del tamaño de las compañías que ambas dirigíamos los sentimientos eran similares. Cuando organizamos el primer encuentro con la primera camada de aprendices de Voces Vitales Argentina me emocioné inmensamente, fue la semilla del lema "pay it forward"(pagárselo a alguien más), la que nos había impulsado a encontrar recursos de donde fuera para llevar adelante esos primeros programas. Luego las caras de sorpresa y felicidad de esas jóvenes mujeres al disfrutar y empoderarse con la mentoría fueron la mejor de las recompensas. ¡Sentí mi alma llena de felicidad!

Lo que había vivido en Estados Unidos sin duda provocó el cambio más importante que como persona y como profesional he experimentado, pero el impacto no hubiera sido tan importante sin lo que vino después. Conocer a todas esas mujeres líderes, en muchos casos anónimas, de nuestro país. Mujeres de los más diversos sectores, que no hubiera conocido jamás sin el entorno de Voces Vitales. Son la red que me contiene cada día y en cada decisión que debo tomar.

Vanina Ubino, recientemente madre de una nena, actual directora ejecutiva de Fundación Nordelta y con quince años de trayectoria en organizaciones de la sociedad civil, participante de la edición 2009, destaca: *Ya hace seis años de mi participación en el programa Fortune y puedo afirmar que fui implementando cada vez más los principales conceptos promovidos por Vital Voices alrededor del mundo –pay it forward, empoderamiento, mentoreo, conciliación y networking–, convencida de que todo es un proceso que construimos con otros: "cocreación", otro de los conceptos promovidos, quizá más indirectamente, y que tiene que ver con una de las características intrínsecas de las mujeres y su liderazgo más horizontal, participativo, con empatía y trabajo en red.*

Para Daniela Martin, directora de Gestión de AmCham, la Cámara de Comercio de Estados Unidos en Argentina, participante Fortune de la edición 2010, expresa: *Mi mayor aprendizaje durante esta gran experiencia fue haber vivenciado el concepto de diversidad aplicado tanto a la dimensión social como a la de relaciones personales. Entendí cuál era el sentido de la diversidad. Allí comprendí que en eso estaba la riqueza y el futuro, que ese había sido nuestro criterio de selección por el cual treinta mujeres provenientes de veintitrés países diferentes compartíamos esta experiencia. La idea era acercarnos, hacernos más ricas como personas, nutrirnos de estas historias de vida tan lejanas a las nuestras, hacer el esfuerzo por escucharnos y comprendernos cuando todas hablábamos idiomas diferentes. Y esa fue la lección de management y de vida más importante que recibí en esas semanas: "Aprender a convivir y a liderar en la diversidad es lo que nos enriquece. El desafío que me dejaron es trabajar para lograrlo".*

Los casos de Lorena Díaz Quijano y María Dolores Scotta me resultan sumamente especiales pues reflejan el poder de la red local con presencia y proyección internacional. Ellas fueron participantes de nuestros programas locales, tanto del programa nacional como de la caminata de mentoreo, y en ese contexto nos conocimos.

Lorena Díaz Quijano, consultora internacional sobre temas vinculados con Internet, Comercio Electrónico y **Social Media**, lo expresa así: *Cuando recuerdo cómo llegué a Voces Vitales Argentina reconozco inmediatamente la esencia de la organización: empoderar a las mujeres... Así llegué, de la mano de una mujer extraordinaria que trabaja incansablemente para lograr un mundo mejor... Cuando se enteró de que en Argentina Voces Vitales estaba organizando el primer programa de mentoreo nacional, no dudó en llamarme y recomendarme que me postulara. Ponía en marcha su voluntad de empoderar a otras mujeres, su deseo de compartir nuevas oportunidades, de ayudarme a crecer personal y profesionalmente. Confié. Acepté sin dudar su propuesta. Tuve la suerte de quedar seleccionada. El programa y mi mentora fueron clave para poder dar forma e iniciar una nueva fase de mi carrera laboral: sumar la responsabilidad social a la gestión. Pero fundamentalmente para acercarme a Vital Voices y su misión y pensar cómo podía sumarme yo también al "pay it forward".*

Agregó con un tono de voz enfático: *De todo lo vivido durante estos años con Vital Voices, me sigue impactando y resultando increíblemente inspirador el cambio rotundo en la manera de enfrentar la vida, el trabajo, la familia y los amigos que se produce en las mujeres. Para algunas, ese cambio sucede en el corto plazo, para otras a mediano o largo plazo. Pero esa toma de conciencia de su propio ser y lugar en el mundo, de su capacidad de poder hacer, hace que la fuerza de cambio sea arrolladora.*

María Dolores Scotta, "Lola" para todos, aprendiz 2010, en ese entonces ejecutiva de una multinacional, nos cuenta: *Fue una de las experiencias más enriquecedoras que tuve en mi vida dado que no solo me permitió hacer networking con las mujeres más destacadas e influyentes de los Estados Unidos de América, sino que también me empoderó en la búsqueda de mi crecimiento profesional y personal... También conocí realidades distintas. Mis compañeras del programa me hicieron valorar las oportunidades que tuve en mi vida y creé un lazo importantísimo con ellas, el cual fortificamos todos los años al punto que en noviembre del 2013 hicimos un reencuentro en Sudáfrica.*

Y Lola agrega, con la sonrisa radiante que la caracteriza: *Uno de los conceptos que más me impactó fue el de "pay it forward". De hecho, me sentí tan inspirada por él que presenté en mi universidad (San Andrés) un proyecto para que entre diez exalumnos becásemos a un nuevo alumno durante toda su carrera universitaria y le diéramos mentoring una vez por mes. La idea subyacente es que cada alumno que reciba este beneficio replique la misma modalidad una vez que egrese y así se construya una cadena de ayuda que vaya in crescendo año a año.*

Testimonio a testimonio confirman que la unión hace la fuerza... Por entonces, yo estaba dispuesta a asumir el esfuerzo. Pero ¿cómo podría hacerlo?

La respuesta no tardó en llegar: buscando apoyo en y con otras mujeres, guiándonos, aconsejándonos, compartiendo experiencias, abriendo puertas juntas y sabiendo que del otro lado habría alguien a quien le interesaría tanto como a mí su crecimiento personal y profesional... y el de otras mujeres.

Acepté el desafío en ese momento. Y me propuse instalar una invitación permanente para pensar, empezar y transitar juntas, cada una de nosotras, nuestro propio programa de mentoreo, nuestra propia red de mujeres, nuestro propio camino de crecimiento.

Que podemos hacerlo es mi afirmación y mi mensaje.

Que podemos hacerlo mediante el reconocimiento del valor de nuestro trabajo, mediante el encuentro con nuestra propia voz y la valorización de aquello que tenemos para decir.

Que podemos hacerlo porque podemos apoyarnos y fortalecernos unas a otras es la razón que me impulsó a liderar el nacimiento del capítulo argentino de Voces Vitales y a contarles, a través de este libro, mi aventura, mi llamada.

Porque creo en el valor transformador de la participación de las mujeres en la sociedad, porque estoy convencida del efecto contagio, porque comparto la teoría del centésimo mono, teoría de comportamiento social que dice que, cuando un número crítico de personas cambia su manera de pensar y comportarse, una nueva era comienza; porque acepto el desafío de crear círculos de mujeres, porque quiero invitar a todas a transitar el camino desde un liderazgo femenino, hacia un liderazgo transformador, consciente, comprometido, complementario, compartido, multiplicador, solidario, generoso, y fundamentalmente hacia un liderazgo trascendental.

Las cartas están repartidas pero no hay juego si no estamos TODAS en la mesa. ¡Sumate! ¡Esta invitación te incluye a vos también!

Ya había comenzado mi viaje, la aventura que me llevaría de la mano, desde un liderazgo transformador hacia un liderazgo consciente...

Capítulo 2
La conciencia de género

▪ Hacia un liderazgo consciente

*La participación equitativa de las mujeres en la toma de decisiones
es una cuestión de justicia y democracia. También es importante
para reflejar las necesidades de todas las personas.*
ONU Mujeres

*El camino hacia la igualdad de género no es una meta tecnocrática:
es un proceso político. Requiere un nuevo modo de pensar, en el cual
los estereotipos sobre mujeres y varones dejen lugar a una nueva
filosofía que reconozca a todas las personas independientemente
de su sexo, como agentes imprescindibles para el cambio.*
PNUD-Informe de Desarrollo Humano, 1995.

*La posibilidad de modificar nuestra realidad depende de cada una en
particular y de todas en general. Implica un riesgo, claro, pero también
el reto de enfrentarnos a lo desconocido supone una oportunidad para
el crecimiento y el desarrollo, para otorgar significado a la vida que se
había diluido en el mar de la enajenación de la feminidad tradicional.*
Ana Freixas

La aventura que comenzaba a transitar se fue desplegando en muchísimos aspectos que, por supuesto, no había previsto. El enfoque de género fue uno de ellos. Ejerciendo posiciones en liderazgo no se puede ignorar la diferencia de géneros en nuestra economía actual y la falta de valorización de nuestras virtudes y sensibilidades como mujeres.

Sin duda no soy la única mujer común, profesional, que se

pasa la vida haciendo piruetas para encajar en su día a día el desarrollo profesional, el personal y las tareas del cuidado del hogar. A la vez, hoy puedo afirmar que estaba llena de mandatos, prejuicios y estereotipos, de los cuales no tenía conciencia y, por lo tanto, no cuestionaba. Ni siquiera pensaba en ellos como determinantes de mi conducta, de mis elecciones, influenciando mi vida diaria. Yo era feliz, sí, pero no consciente. Y es la conciencia la que nos hace estar plenamente desarrollados como seres humanos plenos y felices.

Una reconocida frase de Carl Jung dice: *Hasta que lo inconsciente no se haga consciente, el subconsciente seguirá dirigiendo tu vida y tú lo llamarás «destino»*. Estoy convencida de que el ser humano es sabio por naturaleza y que lo único que tiene que hacer es escucharse, encontrarse, conocerse.

Estoy convencida de que las mujeres solo necesitamos hacer consciente lo que sabemos inconscientemente sobre la situación de las mujeres en general. Necesitamos reflexionar sobre estas cuestiones. Es mediante la reflexión que podemos llegar a las develaciones, al conocimiento y a echar luz a temáticas que no habíamos abordado.

La palabra *reflexión* viene del latín *reflectus*, de *re-flectus*, "acción de doblar, curvar". En Física, se llama *reflexión* al momento en que los rayos de luz que llegan a una superficie de una sustancia son devueltos con un ángulo igual al de incidencia, llamado *ángulo de reflexión*. Wikipedia dice que, en Filosofía, *reflexión o meditación* se define como un proceso que permite pensar detenidamente en algo con la finalidad de sacar conclusiones.

En palabras de Jean Shinoda Bolen: *Adquirimos conciencia de las cosas cuando nos detenemos a fijarnos en los comportamientos y acontecimientos con mayor distancia que cuando estábamos plenamente implicados en ellos. A través de esa reflexión, nuestro estado de sabiduría aumenta.*

De a poco me fui encontrando con mi voz femenina y feminista… Jamás imaginé que ese tibio encuentro que empezaba a tener con esa voz devendría en la voz revolucionaria y alentadora que sostengo hoy con respecto al feminismo.

Uno de los pensamientos que más me esclarecían, mientras confrontaba mis viejas ideas, surgía del discurso que Hillary Clinton había dado en 1997 (¡sí, 1997! ¡Y sigue más vigente que nunca!) para lanzar las propuestas de Voces Vitales, en Montevideo, Uruguay, para representantes de América Latina:

Ahora, todos sabemos que las mujeres contribuyen enormemente al crecimiento económico de sus países. Dentro y fuera del hogar. Pero ese trabajo, dentro de la casa y perteneciente a la economía informal, no es tenido en cuenta en el cálculo del PBI que realizan los países. Yo creo que es tiempo, para los economistas y banqueros, de encontrar formas de incluir las contribuciones de las mujeres, al cálculo del PBI, de sus naciones y en el mundo.

Recuerdo que una vez, hablando con un economista durante una de mis visitas a África, él dijo: "Bueno, las mujeres no tienen un rol específico en las economías africanas emergentes". Y yo dije: "Bueno, usted sabe, yo solo he pasado unos pocos días en África, pero, mire hacia donde mire, veo mujeres trabajando: veo mujeres en el campo, cargando agua, veo mujeres en los mercados, veo mujeres construyendo sus propias casas, veo mujeres cuidando niños. Dígame exactamente: ¿lo que ellas están haciendo no contribuye al bienestar económico de su país?".

Las mujeres contribuimos enormemente al bienestar económico de nuestros países.

También tenemos que enfrentar la persistencia de la discriminación salarial de las mujeres que sí realizan trabajos considerados dentro de la economía del país, en el PBI. Las mujeres en Latinoamérica reciben salarios muy por debajo de los de los hombres, en igual posición. Y las mujeres que trabajan en el sector informal, como muchas

lo hacen, no tienen beneficios ni seguridad social. Las mujeres tra-
bajadoras nunca han tenido los derechos, oportunidades y beneficios
que los hombres, tradicionalmente, han tenido. O sea que debemos
atacar esas inequidades también.

Necesitamos celebrar las contribuciones que las mujeres han he-
cho. Yo aprecio especialmente saber cómo las mujeres han logrado
sobrevivir en la pobreza, han sido las que, día a día y año a año, man-
tuvieron las familias funcionando con muy escasos recursos.

Así que vamos a celebrar lo que, si pensamos bien en ello, es una
muy buena planificación económica y elaboración de presupuestos.
Y busquemos maneras de encontrar más oportunidades y mejores
ingresos en las vidas de esas mujeres, quienes ya han probado saber
muy bien cómo estirar cada peso lo más posible.

Esa forma de mostrar los grandes temas de la economía a través de situaciones concretas de la vida diaria me resultaba muy
inspiradora, mientras me iba introduciendo en cuestiones que no
conocía con tanto detalle. Y aún hoy, son temas centrales cuando
se trata de oportunidades y calidad de vida de las mujeres. Poco
a poco me fui interiorizando en estos temas que, a la vez, iban
transformando mis puntos de vista.

Me preguntaba cuál sería el resultado de un cálculo que inclu-
yera el costo de reemplazar el trabajo que las mujeres realizamos
"naturalmente", sin recibir salario, por alguien a quien debiéra-
mos pagarle. Atender el hogar, cuidar a los niños y a los enfermos
de la familia, realizar el apoyo escolar de nuestros hijos, garantizar comidas, ropas, etcétera. Ocuparnos de los regalos de cumpleaños, de las fiestas, de los traslados... Estoy segura de que el
cálculo, multiplicado por las mujeres que hacen esas tareas, sería
una cifra más que interesante para la economía de cualquier país
e incluso y, sobre todo, ¡para las economías familiares!

Me resulta tragicómico que a las amas de casa se las describa como "mujeres que no trabajan". En realidad, trabajan muchas más horas que cualquier otra clase de trabajador. *Como dice Gloria Steinem en su libro Revolución desde adentro: Supongamos que empezamos a contar todo este trabajo y su valor en dinero. Las mujeres que además, desempeñan tareas fuera del hogar se beneficiarían con ellos, puesto que hacen dos trabajos, uno asalariado y visible y otro ni asalariado ni visible.*

Me puse a investigar, estudiar, repasar, reflexionar...

El tema del PBI (Producto Bruto Interno), que en muchos casos mide la calidad de vida a través de indicadores que nada tienen que ver con la calidad de vida, es, al menos, polémico.

El Producto Bruto Interno es una medida que utiliza la economía para considerar el bienestar material de una sociedad. Expresa el valor de mercado de todos los bienes y servicios finales producidos por el trabajo y la propiedad de un país, a lo largo de un año. Siguiendo este razonamiento, cuanto mayor sea la cifra que indica el PBI, más grande y productiva será una economía, pues el PBI es el total de ingresos que tienen las empresas y los ciudadanos de un país. Si bien la medida más exacta para calcular la riqueza real de los ciudadanos es el PBI per cápita, es decir, el total de PBI dividido por el número de habitantes del país.

El cálculo de PBI presenta limitaciones, además de no considerar los trabajos domésticos, cuando se trata de considerar el bienestar en términos de impacto ambiental y de bienestar social, incluyendo las cuestiones de género. Como veíamos en el discurso que cité, ciertos trabajos, como el doméstico y, en general, toda producción perteneciente a la economía informal, no son incluidos en el cálculo. ¿Se trata de indicadores poco significativos?

Según estudios de **CEPAL**, la Comisión Económica para América Latina, presentados en noviembre de 2011, el valor del trabajo doméstico no remunerado en los países de América Latina representaba entre el 25 y el 30 % del PBI. Este altísimo porcentaje coloca a las mujeres de estos países subsidiando la economía del cuidado. Y esta situación amerita la necesidad de que se discutan, a nivel de las políticas públicas, los sistemas nacionales de cuidado. Otra de las cuestiones de mujeres, aún pendientes... Me alegró darme cuenta: el mentoreo ya me hacía pensar en términos regionales y desde una perspectiva internacional.

¿Cuánto vale el trabajo doméstico? Cocinar, lavar, planchar, cuidar a los niños y a los ancianos, limpiar los baños y regar las plantas no han sido actividades tomadas en serio por los economistas. Parecen insignificantes comparadas con las labores que producen valor fuera del hogar, en las fábricas, las oficinas, los laboratorios o las cantinas. Qué me dirías si te contara que hemos vivido en el error, que el trabajo doméstico tiene un valor que va de 20 a 30% del PBI[1]. Esas "humildes" actividades generan una contribución a la economía nacional superior a la de las industrias petrolera y turística.

El valor del trabajo doméstico es una preocupación creciente. No es casual que el **INEGI**, Instituto Nacional de Estadísticas y Geografía, se haya planteado, desde hace muy poco tiempo, comenzar a medirlo. Está enmarcado en la discusión sobre equidad de género, porque el 80% lo hacen las mujeres. Y está naturalizado que así deba ser. Medir esta aportación es una forma de reconocerla y serviría para reforzar la autoestima de muchas mujeres que, de manera cotidiana, hacen grandes contribuciones a la so-

---

[1] 46a. Reunión de la Mesa Regional sobre Asuntos de la Mujer, CEPAL, Chile, noviembre de 2011.

ciedad. ¿Cómo estimar el valor del cuidado de un adolescente por parte de sus padres? Es todo un reto para los economistas y para las políticas públicas. Además, este trabajo doméstico e "invisible" es *condición de posibilidad* del trabajo remunerado. ¿Cómo vas a ir a trabajar con la ropa sucia o sin planchar, o sin haber comido bien?

Durante su gobierno, insatisfecho con el índice de PBI, Nicolas Sarkozy, entonces primer mandatario de Francia, creó la Comisión para el Desempeño y el Progreso Social, recomendando acercar a la realidad la medición del PBI. En esta comisión participaron Joseph Stiglitz y Amartya Sen, dos premios Nobel notables por su heterodoxia.

Poner más énfasis en el punto de vista de los hogares y ponderar o asignar un valor a cientos de actividades que no se realizan a través de los mercados es un desafío para las políticas públicas. Amamantar a un bebé no cuenta en el PBI, pero comprar un suero lácteo sí. Limpiar la casa no suma a las cuentas nacionales, si lo hace la mamá, el papá o cualquiera de los hijos, aunque si el autor es un mozo o una empleada doméstica, es otra cosa.

Las transformaciones necesarias para una sociedad que tenga en cuenta las oportunidades para todos solo serán posibles si existe una nueva ecuación entre el Estado, el mercado y la sociedad. Una ecuación que permita ampliar los recursos disponibles para alcanzar los objetivos del desarrollo. Esta transformación requiere, entre otras cosas, reformas fiscales para ver cuál es el costo del cuidado y quién lo paga.

Uno de los aspectos que refuerza esta situación es que existe una naturalización acerca de que el trabajo doméstico y el cuidado de los hijos y los ancianos es obligación de las mujeres. Y si este trabajo no es asumido por las mujeres, son otras mujeres las que deben realizarlo: las empleadas domésticas o las enfermeras. Hay roles asignados que son difíciles de identificar y, mucho más, de cambiar.

Estos roles de género, comportamientos aprendidos en una sociedad, comunidad o grupo social determinado, hacen que sus miembros perciban como masculinas o femeninas ciertas actividades, tareas y responsabilidades, y las jerarquicen y valoricen de manera diferenciada. Son parte de la cultura de estos grupos sociales. La constante asignación social de funciones y actividades a las mujeres y a los hombres naturaliza sus roles. Esta naturalización de los atributos de género es lo que lleva a creer que existe una determinación entre el sexo de una persona y su capacidad para realizar una tarea. Pero, además, considerar como "naturales" los roles y las capacidades es creer que son inmutables. Reconocer y descubrir que estas características, supuestamente fijas e inamovibles, son asignaciones culturales, es lo que permite transformarlas y pensar de otro modo los lugares que ambos pueden ocupar en la sociedad.

Esta asignación de roles es muy evidente en la "división sexual del trabajo", que va más allá de lo asignado en la vida privada. La distribución social de obligaciones y responsabilidades entre individuos, de uno u otro sexo, como hemos visto, abarca las actividades de mercado y extramercado, públicas y privadas, según las representaciones culturales para cada sexo, los estereotipos, que deciden qué debe hacer y sentir cada uno de los sexos.

Difícilmente logremos modificar la situación de las mujeres sin atender, reflexionar y aspirar a cambiar estos estereotipos. Lo deseable sería la construcción de una nueva forma de vida que permita establecer nuevos equilibrios entre lo público y lo privado, el trabajo productivo y el reproductivo. Pero estos nuevos equilibrios no deben estar basados en una división del universo social en dos partes, que atribuye una mitad a cada uno de los sexos, sino en que todos los individuos, hombres y mujeres, contribuyan equilibradamente a ambos aspectos de la vida.

Es decir, necesitamos establecer un nuevo pacto como sociedad, para una distribución del trabajo socialmente necesario que no tenga el carácter de la división sexual del trabajo, sino de la asunción individual de responsabilidades y tareas situadas en ambas esferas. *Imaginemos una sociedad en donde el ámbito público y el doméstico estuvieran compartidos por igual, donde el estado asumiera sus propias responsabilidades, donde todas las personas sin distinción de sexo pudiéramos tener también la posibilidad de disfrutar de alguna manera de nuestra vida privada. No estaríamos imaginando en absoluto un mundo ideal, imposible de lograr, no se trata de una utopía. De hecho, los países escandinavos (porque así se lo han propuesto) han dado grandes pasos en esa dirección...* Así nos alienta Susana Covas[2] en su libro en coautoría *Los cambios en la vida de las mujeres.*

Darnos cuenta

El enfoque de género resultó ser una puerta que, al abrirla, generaba nuevas puertas. Los temas se iban complejizando y, a la vez, me permitían reflexionar sobre cuestiones que yo misma vivía, o había vivido. Entendí la necesidad de que las mujeres tomemos conciencia de género porque, muchas veces, somos las primeras en negarlo.

Que seamos mujeres no significa que tengamos conciencia de género, y sin conciencia de género no podemos convertirnos en las facilitadoras del cambio para mejorar el mundo.

Adquiriendo y participando activamente en nuestra cultura pode-

---

[2] Susana Covas, argentina, se ha formado en Pedagogía y Psicología Social. Vive en España, donde ha desarrollado una sólida carrera profesional, llevando a cabo desde su empresa numerosos proyectos que, abordados desde la perspectiva de género, apuntan a mejorar la calidad de vida de las mujeres en sus diferentes áreas existenciales.

mos educar a nuestras hijas e hijos en consecuencia, con plena capacidad de su desarrollo y libertad, e invitar a nuestros hombres a transitar el camino juntos. Así podremos tener una mejor calidad de vida, elevando nuestra autoestima y entendiendo que nuestro rol es fundamental para nuestra familia, para nuestra comunidad, para nuestra sociedad, para nuestro país y para el mundo.

Lidia Heller[3], en su libro *Voces de mujeres. Actividad laboral y vida cotidiana*, lo explica así: *Como mujeres no debemos olvidarnos nunca, cuando transitamos por organizaciones, de dónde venimos y cuáles son las imágenes que todavía se hacen presentes en la mayoría de los individuos sobre los roles y estereotipos. Esto significa tener "conciencia de género".* Y agrega: *De nada nos sirven las mujeres con poder en distintos ámbitos si reproducen modelos masculinos y no son conscientes de la necesidad de cambios colectivos para modificar la cultura institucional.*

Esto de la conciencia de género o estar conscientes no se acaba acá. Es un estado de alerta que debemos tener para darnos cuenta en todo momento... Es un descubrirse permanentemente.

Una vez, mi hija Esmeralda tuvo un cumpleaños de una amiguita que cumplía cinco añitos. Lo festejaba con una fiesta de disfraces y la invitación hacía alusión a las princesas de Disney. Cuando le comenté a Esmeralda sobre su evento, ella sin dudarlo dijo que ¡quería ir disfrazada del Hombre Araña! Le expliqué que no, que tenía que ir de princesa, que iba a quedar hermosa de esa

---

[3] Lidia Heller es licenciada en Administración (UBA). Integrante de la Woman-Net, Red Latinoamericana de Mujeres en Gestión. Ha realizado cursos de especialización en temas de Management Femenino y Planificación y Desarrollo de Carrera en la Universidad de Lulea, Suecia, 1997. Autora de Nuevas voces del liderazgo: dilemas y estrategias de las mujeres que trabajan, Por qué llegan las que llegan y Las que vienen llegando.Nuevos estilos de liderazgo femenino en las organizaciones. Participa en varias organizaciones y es miembro del Consejo Asesor de Voces Vitales Argentina.

forma... Me armó un escándalo, propio de una cuarta hija luego de tres varones (¿o propio de una nena empoderada?). En fin... en plena discusión, me vi a mí misma, a la que trabajaba "en pos del liderazgo femenino", a la que en teoría debía ser el "modelo" de la "conciencia de género", a la que estaba escribiendo un libro para compartir el empoderamiento con otras mujeres... Me vi envuelta en mis propios mandatos y estereotipos. ¿Por qué mi hija tenía que vestirse de princesa? ¿Por qué no ser una superheroína? ¿Por qué le tiene que gustar el rosa? De hecho, su color favorito es el verde. ¿Por qué no?

Por supuesto, era la única Hombre Araña en toda la fiesta. Estaba lleno de bellas princesas hasta con zapatitos de princesas. Es increíble cómo sin darnos cuenta seguimos alimentando un estereotipo que NO va más. Por lo menos no como imposición, sino como una verdadera y consciente elección.

Ese es el punto de partida de las transformaciones que necesitamos para acceder a niveles crecientes de libertad, utilizando las posibilidades que nos permiten elegir cómo queremos vivir, revisando los roles predefinidos. Así podemos gozar y ejercer nuestros plenos derechos e identificar incluso todos los que nos faltan, especialmente aquellos que todavía nos cuesta reconocer como sociedad o en la práctica cotidiana.

El logro de una efectiva igualdad de oportunidades y equiparación de roles no es tarea excluyente de las mujeres: necesitamos incorporar a los hombres en el proceso.

Debemos insistir e invitarlos de manera continua para que se involucren en los temas cruciales de trabajo y familia. Por ello es necesario que ambos nos comprometamos a desterrar mitos, estereotipos, roles preestablecidos que existen en muchas de las culturas organizacionales para que, juntos, podamos celebrar los pequeños logros que se vayan obteniendo en pos de un mundo más equitativo y diverso.

Solo cuando más mujeres con conciencia de género adquieran y legitimen el poder, tanto la legitimación personal, interna e intransferible como la legitimación externa, social, universal y transferible, y los varones se involucren comprometida y activamente, y no por presión, a estos procesos, podremos hablar de cambio real y duradero que beneficie a todas y todos, a la sociedad y al mundo en su totalidad. Y esto incluye todas las esferas: lo público, lo privado, lo familiar, lo laboral, los usos, las costumbres, las leyes…

El Programa de Naciones Unidas para el Desarrollo (PNUD) propone incluir en sus acciones la transversalidad del enfoque de género. En su publicación *Desafíos para la igualdad de género en la Argentina*, dice:

(…) El análisis de género permite dar cuenta de la heterogénea participación de hombres y mujeres en la vida social, laboral, familiar y política. Evidencia cómo los recursos de la sociedad se distribuyen inequitativamente entre los géneros; subraya el modo en que las instituciones jurídicas y sociales facilitan o no la equiparación de las voces de hombres y mujeres en la toma de decisiones. También llama la atención sobre el diseño y la implementación de políticas públicas, lo que lleva o bien a naturalizar y perpetuar las diferencias de género, o a tornarlas visibles para así promover su transformación y equiparación.

El marco analítico propuesto por Naila Kabeer[4] concibe al género como parte de un sistema de *relaciones sociales*, perspectiva que proporciona una herramienta eficaz para dar cuenta de desigualdades de género en la distribución de recursos, responsabilidades y poder. (…)

(…) Este marco analítico se complementa con un enfoque basado en los derechos humanos, que busca equiparar las oportunidades y capacidades de las personas, respetando los principios de igualdad y no discriminación.

Indudablemente, afirmar que los derechos son iguales para todos no supone que las personas sean idénticas ni que tengan las mismas posibilidades para el desarrollo social y personal. Tampoco implica que las condiciones de ejercicio de estos derechos estén dadas para todos en igual medida. Ni siquiera oculta que existen barreras que hacen que algunos grupos encuentren mayores obstáculos que otros. Precisamente, o más bien *justamente*, la idea de igualdad –en este caso de género– remite a la necesidad de equiparar las diferencias entre las personas y sus circunstancias bajo un parámetro de dignidad *mínima*, común para todos. Permite ver y cuestionar la existencia de desigualdades en el ejercicio de los derechos, como parte de un proceso producido social e históricamente. Y, por lo tanto, invita a identificar oportunidades y herramientas para la equiparación en el ejercicio de estos derechos. Y aquí quisiera subrayar que el tema no es solo la igualdad sino la equidad. En la equidad hay que mirar al otro, ver lo que ese otro necesita. Si es mujer, necesita trabajo remoto cuando tiene hijos pequeños; si tiene Síndrome de Down, una actividad que pueda realizar con sus capacidades... Para mí, la igualdad sin equidad no es justa...

Voces Vitales se ocupa de fortalecer el liderazgo femenino y a las líderes. Pero es importante remarcar una vez más que para que la transformación necesaria para lograr sociedades más justas sea posible, debemos tener mujeres en posiciones de liderazgo con conciencia de género. Me refiero a contar con mujeres que ejercen

---

[4] Naila Kabeer es profesora de Estudios de Desarrollo en la Escuela de Estudios Orientales y Africanos de Londres. Se ha dedicado a la docencia, la investigación y la promoción de políticas de género y desarrollo, por más de 25 años. Es autora de *Realidades invertidas: jerarquías de género en el desarrollo de pensamiento* (Verso, 1994) y *El poder de elegir: las mujeres de Bangladesh y las decisiones del mercado de trabajo en Londres y Dacca* (Verso, 2000).

el poder que sean conscientes y moralmente responsables de las necesidades de las mujeres, para poder allanarles el camino, tenerlas en cuenta, en las mesas en las que se toman las decisiones. Mujeres que faciliten el acceso de otras mujeres al poder, mujeres que puedan generar cambios, actuando como agentes de cambio, generando políticas más equitativas, justas, empresas familiarmente responsables, pues también debemos que mencionar que mientras más participación de la mujer hay en la vida pública, más participación del hombre en la vida privada.

La vida familiar y profesional es compatible. No existen fórmulas mágicas, cada mujer debe encontrar la suya. Pero se irá facilitando en la medida en que construyamos acuerdos socialmente aceptables. La cultura no es rígida, está viva, y somos nosotros quienes la vamos transformando: intentemos transformarla en una cultura más justa y de paz. Margaret Mead lo enunciaba ya en 1948:

La tarea de cada generación es revisar y reformular el mandato de la tradición cultural para ajustarlo al bien integral de la persona como individuo y como ser social.

Nuestra generación ya está revisando y reproponiendo una identidad sexual masculina y femenina liberada de incrustaciones culturales que impiden la realización personal.

Las mujeres hemos transitado siglos de silencio y anonimato, relegadas a roles predeterminados dentro de la sociedad. Es importante que tengamos la oportunidad de reflexionar sobre esto, sobre los mandatos y barreras culturales que tenemos. Es fundamental que la mujer pueda ser libre en sus elecciones y desarrollarse en cualquier ámbito que elija, tanto si su elección es quedarse en su casa, criando a sus hijos, cuidando y educando a su familia, o salir a participar en la arena política, económica y/o social ausentándose durante largas horas de su hogar e hijos, o si incluso, elige no tener hijos.

Las invito a que terminemos de pelearnos entre nosotras. Si la que trabaja porque trabaja, la que elige quedarse en su casa porque elige quedarse en su casa, la que no quiere tener hijos, la que quiere tener hijos. En fin... empecemos a solidarizarnos con nosotras mismas. En la diversidad de pensamientos, opiniones e ideales se encuentra la verdadera riqueza. Este trabajo de empoderar a las mujeres nos tiene que unir más allá de cualquier elección pública o privada que hagamos.

Bienvenido el feminismo a mi vida

Finalmente pude y puedo decir: soy feminista. Siempre lo fui. Solo que no lo sabía.

¿Y vos? ¿Creés en la igualdad de oportunidades y derechos entre hombres y mujeres? ¡Bienvenida, entonces! Sos feminista. Solo que a nosotras quizá nos cabe el rótulo de "neofeministas".

Me estaba debatiendo internamente sobre si poner o no en el libro este descubrimiento – de que siempre había sido feminista sin saberlo... Tenía dudas de exponerlo, pues todavía recuerdo como si hubiese sido ayer, cuando apenas estábamos iniciando esta movida, un diálogo con dos de las personas que me acompañaron y apoyaron desde siempre, y que siguen estando (gracias a Dios) involucradas con la misión de la organización tanto internacional como nacional. Me dijeron muy seriamente, en una charla informal en una cena de trabajo, que no me metiera con "esos temas" ya que el feminismo tenía muy mala "prensa"... Bla bla bla...

¡Wooww! Fue mi primera reacción. Y seguí con una acalorada discusión al respecto. Sin conocimientos académicos o argumentos para apoyar mi postura, me embarqué en mi primer "tole tole" defendiendo al feminismo. Esa noche, de regreso en casa, tirada en la cama pero todavía sin poder bajar las revoluciones de esa conversación, me propuse como objetivo estudiar para entender no solo el feminismo, sino también el porqué de su mala fama.

Siete años después no solo me declaro abiertamente feminista, sino que AMO al feminismo, así como entiendo perfectamente que no se puede entender lo que no se conoce. Creo que esta es una de las razones por las que me propuse escribir este libro: no solo para empoderarnos e instar al autoempoderamiento, sino para contarles sobre un movimiento al que le debemos todo nuestro respeto. Especialmente, debemos entenderlo para corregir las desviaciones que pudieron o podrían devenir y para *aggiornarlo* a lo que todavía nos queda por seguir avanzando.

Los libros no llegan por casualidad a nuestras manos, y justamente estaba en pleno debate sobre si autoproclamarme o no feminista, cuando leí en Cómo ser mujer de Caitlin Moran, periodista británica contemporánea: *Soy feminista. Preferiblemente, me gustaría que os subierais a una silla y gritarais "soy feminista", pero solo porque todo me parece más emocionante si lo haces subido a una silla... Quizá sea una de las cosas más importantes que una mujer dirá nunca...*

Es que realmente es increíble que a las mujeres se las estigmatizara simplemente por reclamar cosas tan básicas como ser respetadas en sus derechos, valoradas en sus trabajos, o pretender que sus voces fueran tenidas en cuenta. Y hay temas que todavía no se abordan francamente ni entre las mujeres. Nos incomodan porque podemos ser tildadas desde herejes hasta lesbianas (con todo mi respeto hacia todas las posturas y elecciones personales).

También es cierto que a algunas nos cuesta embarcarnos a pensar en profundidad y con total libertad ciertos temas como el control de la natalidad, el aborto, la violencia contra las mujeres (doméstica, sexual y trata de mujeres). No sé si es que tenemos miedo a alzar nuestra propia voz o porque creemos que debemos ser políticamente correctas... o si simplemente no nos interesa, o no tuvimos la oportunidad de reflexionar al respecto... Me inclino por esto último.

Todavía recuerdo en mis primeros días de universitaria lo que una profesora de Relaciones Públicas nos recomendó fervientemente a todas: *Nunca hablen en una reunión de trabajo sobre política, religión o sexo.* Podríamos extrapolar esta premisa, y decir: *Hablemos del empoderamiento de las mujeres sin meternos con el aborto, la violencia contra las mujeres y/o el machismo.* Además de insólito me resulta aburrido. ¿No están en el intercambio de opiniones el verdadero crecimiento, el aprendizaje, la tolerancia y la diversidad? ¿No me enriquezco con la mirada del otro sobre determinados temas? ¿Que nunca me haya detenido a pensarlo? ¿No se enriquece el otro con mi propia ignorancia? Seguramente, ante tanto desconocimiento, mayor será el desafío intelectual para pensar y repensar las hipótesis y argumentos que sostienen esas ideas...

Mi humilde propuesta con respecto al feminismo (y aclaro que no soy una erudita en el tema, ni mucho menos) es el mayor respeto que podamos tener sobre un movimiento social que está defendiendo justamente nuestros derechos.

Los movimientos feministas no son más ni menos que una ideología que defiende los intereses nuestros, de las mujeres, ejecutando diversas prácticas políticas y realizando una crítica a la desigualdad social de las mujeres frente a los hombres, en la sociedad.

¡Qué suerte que existen estos movimientos!

Podemos estar en desacuerdo en miles de formas de encarar esos reclamos, de desarrollar esas políticas e incluso en la apreciación sobre cada uno de estos temas, pero el feminismo nos incluye a todas. Desde la que trabaja afuera de su casa, hasta la que trabaja dentro de su casa, la que elige estar muy presente y ocuparse personalmente del cuidado de sus hijos, y la que decide incluso contratar a alguien (ya sea otra mujer o un hombre) para que la ayude en esas tareas. El feminismo incluye a las que estamos a favor del aborto y a las que estamos en contra. Va más allá de las ideas y posturas políticas, religiosas, de clases sociales, de raza... El feminismo es grande y nos incluye a todas. Por eso, incluso, a mí me resulta más cómodo hablar de movimientos feministas.

Ser feminista es simplemente esperar las mismas oportunidades para hombres y mujeres... Podríamos decir que la feminista de hoy está en cada madre que quiere las mismas oportunidades y posibilidades para su hija que para su hijo, en la ejecutiva que quiere recibir el mismo sueldo que un hombre por el mismo cargo, en la mujer que quiere ser evaluada según sus logros y competencias y no según su apariencia, en la mujer que pelea una banca en el Congreso...

Si sos una de esas, como lo fui yo, que le tiene miedo a esa palabra porque quizá desconocías a qué se refería exactamente y ahora te das cuenta de que a vos también te interesa que haya igualdad de derechos (fijate que hablamos de igualdad de "derechos", ¡obviamente que somos diferentes!)... ¡Bienvenida vos también! ¡Sos feminista! ¡Y a mucha honra!

Y si todavía tenés dudas con respecto al término, como le escuché decir a Isabel Allende en su charla TEDx, ...*llámenlo Afrodita, Venus, o como quieran llamarlo. El nombre no importa mientras sigamos entendiendo de qué se trata, y lo apoyemos...*

Clarisa Eseiza, a su regreso de la experiencia de mentoreo internacional, lo dijo en estos términos: *Empecé a escuchar hablar del potencial de las mujeres para cambiar el mundo. Siempre había mirado con suspicacia "ese asunto del feminismo". No entendía muy bien a qué se referían esas mujeres que hablaban de luchar por la igualdad. Y entonces empecé a darme cuenta de la magnitud de las desigualdades que se escondían bajo formas aparentemente igualitarias. Sumergida en la mirada de mi cultura, todas esas desigualdades eran para mí normales. Eran la normalidad. Pero sobre todo, y esto era lo más importante, me iba dando cuenta del real potencial de cambio, del motor que cada mujer representaba, no para mejorar la realidad de su género, sino para cambiar el mundo en beneficio de todos.*

Ni siquiera se trataba ya de un tema "hombres vs. mujeres", sino que ese desequilibrio estaba en todas partes, y todos –ambos géneros– éramos víctimas de ciertas formas de ver el mundo que nos privaban de valores como el cuidado, la quietud, la compasión.

Parece que estoy signada a embanderarme en términos que son polémicos, así como lo hice con mi amada profesión: Relaciones Públicas (RR.PP.). No me asustó el nuevo reto: me sentía preparada. Y podía comprobar cómo a medida que avanzaba iban apareciendo otras mujeres para apoyarme y transitar conmigo el camino.

Feliz Día Internacional de las Mujeres

Hace solo poco más de cien años que todos los 8 de marzo se celebra y conmemora el Día Internacional de las Mujeres. Mentiría si dijera que no lo sabía –de hecho, mi padre me traía siempre flores para esa ocasión–, pero era un día más, una excusa para recibir una atención, como el Día del Amigo o el día de lo que fuere. Lo pasaba por arriba sin ser demasiado consciente de lo que se conmemoraba.

Pero hoy es distinto... Si no lo festejabas antes, ¡te invito a que lo celebres a partir de ahora! Sin duda, es una excelente oportunidad para reflexionar sobre la temática y para honrar a tantas mujeres que han luchado por nuestros derechos. Así como para dar nueva fuerza a las que siguen trabajando desde diferentes espacios y ámbitos para seguir mejorando las vidas de miles y millones de mujeres que todavía no encuentran una sociedad equitativa y justa, como es, por ejemplo, el caso de la violencia contra las mujeres, un flagelo mundial y aberrante, al que le dedicaremos el siguiente capítulo. Gracias por las luchas de nuestros antepasados. De las mujeres extraordinarias que enfrentaron las barreras al cumplimiento pleno de nuestros derechos. Derechos que hoy están integrados naturalmente a nuestra vida pero que hasta hace muy poco eran una utopía: el derecho al voto (¡estamos por cumplir setenta años en Argentina!), el poder caminar por la vereda del Congreso, el derecho al divorcio y la patria potestad sobre los hijos compartida por ambos progenitores.

Sin embargo, aún en el año dieciséis del siglo XXI, solo un 10% de mujeres ocupa un lugar de liderazgo decisorio en el ámbito económico, no alcanzamos el 20% de participación parlamentaria mundial y todos los días mueren mujeres a causa de la violencia de género.

Además de reflexionar, también me parece una excelente oportunidad para celebrar los derechos ganados agradecer que se haya podido cuestionar el patriarcado y se hayan desterrado sus pautas culturales; que nuestras bisabuelas, abuelas, madres y quizás algunas contemporáneas se hayan replanteado esos mitos y nos transfirieran sus cuestionamientos para darlos por acabados o por lo menos para que los repensemos (el mito del príncipe azul, de la media naranja, la fusión en vez de la unión, el rol de madre vitalicia, el postergar nuestros deseos por ocuparnos de los deseos de los otros).

Agradezco infinitamente a mi madre, por ejemplo, que justamente ese concepto me lo grabó a fuego. Que el príncipe azul no existe, y que no postergue mis propios deseos. Quizá por acción u omisión nuestros antepasados nos ayudaron a que hoy seamos lo que somos.

Hablando de "madres", leyendo el maravilloso libro *Mensaje urgente a las mujeres* de Jean Shinoda Bolen, descubrí que contamos con otro día especial para celebrar y honrar a las mujeres-madres: se trata del Día de la Madre. Me imagino que no es una novedad para vos que se celebre este día en varios países. Pero lo que para mí sí fue una novedad es que, lejos de las ideas comerciales creadas para vender tarjetas, flores o bombones, surgió como una propuesta en 1870 por Julia Ward Howe, para que las mujeres de todas las nacionalidades se unieran a fin de traer paz a la humanidad.

Los hombres no solo son bienvenidos sino que los exhortamos a sumarse

Me saco el sombrero por todos los líderes masculinos que toman posición por la igualdad de género.

Así lo expresó Ban Ki-moon, secretario general de la ONU: *El empoderamiento de las mujeres también funciona para los hombres. Donde los hombres y las mujeres tienen igualdad de derechos y de oportunidades, las sociedades prosperan. Soy un "He for She".*

En palabras de John W. Ashe, presidente del 68º período de sesiones de la Asamblea General de las Naciones Unidas: *El camino para alcanzar la igualdad de género no puede ni debe ser recorrido tan solo por las mujeres y las niñas. Del mismo modo que sabemos que no podemos lograr el desarrollo sostenible sin las mujeres, también sabemos que no podemos lograr la igualdad de género sin la plena participación de los hombres y los niños.*

Mientras mayor es la participación de la mujer en los espacios públicos, mayor es la participación del hombre en el espacio privado... Mientras más mujeres conscientes, más hombres conscientes y apoyando proactivamente.

El patriarcado, el machismo, es un verdadero peso para los hombres también. Hombres que financian. Lejos de sus familias. Por lo menos lejos de la cotidianidad, de la crianza. Hijos/as sin modelos masculinos cercanos. Con el peso permanente de tener que generar y mantener el bienestar económico de toda la familia. Esperando de ellos que sean fuertes, que nos defiendan. Que sean hasta "agresivos". Culturalmente, el hombre tiene que defendernos. Pelear por nosotras y/o por nuestra familia.

Cabe decir que se puede defender, cuidar, desde otro lugar, lejos de la violencia. Desde las convicciones, la entereza, el cuidado amoroso. No necesariamente desde la agresión. Y también vale aclarar que no me estoy refiriendo a las atenciones ni al cuidado amoroso que puede profesarse una pareja mutuamente.

Según Clara Coria, tal como lo expresa en su libro *Los cambios en la vida de las mujeres: La sociedad patriarcal no les hace ningún favor a las mujeres ni a los varones, más bien ha forzado la interpretación de la realidad perjudicando a ambos géneros. Les exige a los hombres ser protectores aunque no puedan –prohibiéndoles sus derechos a sentir miedo– y condena a las mujeres con la imagen de la debilidad que las hace creer vulnerables, cuando no lo son. De esta manera, se decreta la dependencia como destino femenino.*

¡Varones, queremos liberarlos de tanta carga! No queremos esclavizarlos, ni abusar sexualmente de ustedes, ni maltratarlos, ni negarles el derecho al voto, ni a la educación. Solo queremos que juntos abordemos este asunto que es de todos, que todavía sigue pasando en muchísimos puntos del planeta. Solo queremos que nos hagamos cargo juntos de, por ejemplo, educar a nuestros hijos libres de estereotipos y prejuicios en cuestiones de género. Uno de los pilares que podemos construir.

En mi primera entrevista laboral, hace algo así como veintitrés años, con quien resultó ser luego mi jefa, había un corcho con papeles de diarios y revistas pegados. Me llamó la atención un cartel que decía: "Detrás de todo gran hombre, hay una gran mujer; y detrás de toda gran mujer, hay una gran mucama...". Me pareció gracioso en ese entonces... sin percibir el nefasto mensaje subliminal.

Hoy lo cambiaría contundentemente por: "Detrás de todo gran hombre, hay una gran mujer; y detrás de toda gran mujer, hay un gran hombre". Sea este tu marido, tu padre, un amigo, un mentor, un hijo, un sobrino.

Una de las cosas que me sorprendió cuando empecé a escuchar a cientos y miles de mujeres hablando sobre empoderamiento femenino fue que, en algún momento del discurso –y me incluyo pues me encontré haciendo lo mismo en varias oportunidades– necesitamos aclarar que nos encantan los hombres.

No me olvidaré jamás cuando en el fervor de un discurso frente a quinientas mujeres en la República de El Salvador, ante ciertas caras –que me pareció, sin duda debido a mis propios prejuicios, que cuestionaban mis convicciones– rápidamente agregué: *¡Ojo, que tengo siete hombres en casa a los que amo con locura!. Ahí estalló la audiencia en risas cómplices. Y me apuré a aclarar: Mis tres hijos varones, mi marido, mi padre, hermano y sobrino.* Las risas no paraban para ese entonces, pero por lo menos, eran caras relajadas y de aprobación… (¡o así me pareció!). Deseo que llegue el día en que no tengamos que hacer semejantes "aclaraciones", pues querrá decir que vivimos en un mundo más tolerante, diverso y sin etiquetas.

¿Qué ocurre en los espacios de negocios?

Me alegra escuchar cada vez a más varones del mundo corporativo y de negocios decir cosas como: *Podemos ser catalizadores, facilitadores del cambio. Podemos comprometernos a fomentar el mentoring, el shadowing, haciendo que las mujeres levanten sus manos, que sus voces sean tenidas en cuenta, facilitar el cupo de mujeres en los diferentes grupos de trabajo, y así fomentar su talento…; o también: Realmente lo bien que me hace comprender las barreras, problemáticas y limitaciones que sienten (las mujeres), pues tengo tres niñas a las que me encantaría acompañar de la mejor manera posible. Mi padre fue un modelo duro para mí. Pero en mi caso y en mi casa las cosas son diferentes. Con mi mujer hacemos un equipo. Busquen lo mismo en sus casas.*

Las empresas son inteligentes. Quizá no todas lo hagan motivadas desde la conciencia de género, sino desde una mirada de negocios. Igualmente, bienvenido sea, las mujeres somos un gran mercado potencial. Somos el 53% de la población mundial. Tomamos el 80% de las decisiones de compra. Y la fuga de talentos femeninos y masculinos que está habiendo es alarmante. Las corporaciones deben adaptarse a esta nueva realidad y tendencia mundial.

Casualmente conocí a Alberto Pierpaoli en el 2006, un año antes de embarcarme en el programa de mentoreo de Fortune, como si hubiese sido una señal. El mundo de lo femenino empezaba a acercarse a mi vida…

Alberto Pierpaoli lidera la consultora The Gender Group y Made in Femenino, especialista en marketing de género y autor del e-book *Mal-tratadas por el marketing*, el primer libro escrito en América Latina que muestra y critica que las mujeres sean invisibles para el marketing tradicional.

En ese momento nos embarcamos en una conversación sumamente estimulante para mí, que continúa hasta estos días. En sus propias palabras:

No me canso de decirlo: para el marketing, las mujeres son invisibles. Las mujeres, a escala mundial, son responsables, directa o indirectamente, del 80/85% del consumo. Sin embargo, para los empresarios, son invisibles: no las consideran como mujeres. Las ven desde su mirada masculina: siguen, mayoritariamente, pensándolas como amas de casa y no como consumidoras de autos, bancos, tecnología. El marketing que nosotros conocemos es hijo del androcentrismo[5].

Y como práctica sigue anclado a 1950/60. Las mujeres, desde entonces, han recorrido un largo camino ascendente: se incorporaron masivamente al mercado de trabajo y a la educación y han ascendido social y políticamente. Pero sin embargo los hombres no ven estos logros de las mujeres. Es peor. No saben qué hacer con esto. No saben cómo actuar ante la aparición de tantas mujeres en la vida pública.

Todo esto se nota más que nada en la publicidad. Anclada, en su forma de pensar, en la época de "Mad Men". Solamente incorporó la tecnología de las redes sociales y nuevos medios de comunicación (facebook, twitter, etcétera). Pero el pensamiento es el mismo: miran al mundo desde lo masculino.

Es por ello que en muchos países las mujeres repiten lo mismo: que la publicidad y el marketing no las entienden como mujeres, porque no incorporan a su discurso los avances de las mujeres.

Ejemplos:

▪ Son muy pocos los bancos que han empoderado a las mujeres; que les ofrecen servicios para saber invertir mejor, ahorrar mejor, pensar en el retiro, etcétera. La mayoría las sigue catalogando como compradoras impulsivas y les ofrece tarjetas de crédito y de débito para consumo con variadas ofertas.

▪ Muy pocas compañías de seguros les hablan a las mujeres tratando de educarlas en los distintos aspectos del seguro. Siguen pensando que el que sabe es el hombre.

Lo que falta es perspectiva de género. No se sabe que existen dos géneros y que tienen valores, formas de pensar, seleccionar, decidir y comprar absolutamente diferentes.

La perspectiva de género es el instrumento que permite mirar la

---

[5] El *androcentrismo* consiste en mirar al mundo desde lo masculino, explicando la realidad desde un modelo masculino. Hombres y mujeres están adiestrados a observar el mundo desde ese punto de vista.

realidad cuestionando las relaciones desiguales y de poder que se establecen entre hombres y mujeres, a partir de la mirada androcéntrica. Por eso permite avanzar hacia la equidad de género. Equidad de género y empoderamiento de las mujeres son absolutamente necesarios para volver a las mujeres visibles. Para lograr esa visibilidad, debemos además instruir en perspectiva de género desde la educación preescolar hasta los estudios posdoctorales.

De aquí se desprenden miles de conclusiones y líneas de trabajo, reflexión y discusión entre todas. No es el objetivo de este libro determinar estas discusiones, pero quisiera plantearlas a modo de rápidas reflexiones como disparadores:

▪ Las empresas fueron y son ámbitos diseñados por hombres y para hombres, no contemplan mayoritariamente las necesidades específicas de las mujeres como profesionales y como madres. Por ejemplo, la mujer es penalizada a priori por su maternidad potencial, siendo "poco elegible" mientras esté en edad reproductiva. El concepto de corresponsabilidad aún no se ha instalado en este ámbito.

▪ Las mujeres, muchas veces, nos autoexcluimos de la vida profesional cuando hemos decidido corrernos por un tiempo para dedicarnos por completo a la maternidad y al hogar.

▪ Cobramos aproximadamente un 30% menos que un hombre, en un mismo cargo y con las mismas responsabilidades.

Dicho esto, si nuestras voces no se alzan para comunicar estas injusticias, si no somos nosotras mismas las que pedimos, las que exigimos lo que queremos y necesitamos, ¿quién lo hará? Es más, ¿creemos que necesitamos que otro lo haga por nosotras? ¿Queremos que alguien lo haga en nuestro nombre?

Si bien es cierto que la irrupción de la mujer en el espacio público ha avanzado a pasos agigantados en los últimos cincuenta o sesenta años, todavía es largo el camino por recorrer. Somos las responsables de alzar la voz contra los prejuicios de género que ponen límites a nuestro desarrollo integral. Y es por ello que invito a trabajar conjuntamente, a hombres y mujeres, por un liderazgo transformador y consciente, en el que aportemos nuestro granito de arena para entregarles a las generaciones futuras un mundo mejor.

Las nuevas generaciones nos ayudarán a verlo más claro

Pero sin duda seguimos prisioneras de unos cuantos mandatos y estereotipos que, justamente las nuevas generaciones y nuestros hijos vienen a desterrar o a seguir desterrando...

Estoy convencida, o por lo menos esperanzada, de que las nuevas generaciones tienen las respuestas a nuestros interrogantes, vienen a allanar nuestras barreras culturales, a entender más claramente, a replantear cómo quieren encarar sus vidas profesionales, su maternidad/paternidad, sus parejas, su entrega a las diversas temáticas, a las causas verdes, a los proyectos y formas de vida sustentables.

No es lo mismo el modo en que recorren sus caminos quienes hoy rondan los ochenta años –como mi hermosa abuelita que vive en Córdoba Capital–, quienes rondan los sesenta años –mi bella madre–, que quienes hoy rondamos los cuarenta, o los florecientes veinte, como mi prima Lucrecita. Del mismo modo que no serán iguales los desafíos que deberán enfrentar mi hija Esmeralda y todas las "Esmeraldas" que en este momento tienen apenas siete añitos. Y esto también es porque los "Conrados", "Bautistas" y "Benicios", que hoy tienen dieciséis y diez años, ya están interpretando de una manera bien diferente la realidad, la sociedad, el papel de la mujer en esa nueva sociedad y su indiscutible valor.

La mía es una generación de fractura, de transición, pero yo creo que también lo es de integración: de conciencia.

Cuando empecé a recorrer este camino escuché en reiteradas oportunidades y sin entenderlo cabalmente la expresión "cuestión de género". Supe intuitivamente que empezaba a imbuirme de la situación especial de las mujeres de nuestro país y en una temática mundial.

Yo quisiera unir el concepto de conciencia de género con la conciencia de integrar. Integrar los mundos que creemos que están separados. Por ejemplo, el de la mujer profesional y el de la mujer maternal, la que elige no tener hijos, la que no quiere casarse. Incluso la mujer de la política, con la del ámbito social y la del económico, ejecutivas y/o emprendedoras, del ámbito judicial, del artístico. Las mujeres en USA con las latinoamericanas, con las europeas, asiáticas, africanas... Somos un mundo, un solo planeta.

Me hizo muy feliz haber invitado a una de nuestras jornadas de liderazgo en Buenos Aires a una astronauta, para simbolizarlo: vivimos en un único lugar que, visto desde el espacio, no presenta límites... Quien abre el histórico video institucional de Vital Voices Global es una astronauta.

Y esta reflexión es un llamado a preguntarnos sobre la conciencia con que hacemos elecciones, la libertad o no de la que gozamos, la opción de ser protagonistas o víctimas o espectadoras, asumir un modelo de liderazgo paternalista o autoritario o ser generosas, abiertas, contenedoras, facilitadoras, abrir puertas, conocimientos y experiencias a las nuevas generaciones, adoptar y propiciar políticas que favorezcan a las mujeres en los ámbitos en los que se desempeñan...

Y a tener conciencia del papel preponderante de los hombres, de nuestros hombres, que queremos que tengan protagonismo en la crianza de nuestros hijos y participación en la cotidianidad de nuestras familias.

Y el llamado a la reflexión incluye también el preguntarnos por nuestra conciencia espiritual, sobre nuestra voz interior. No podemos hacer absolutamente nada para los otros ni por los otros, y menos por nosotras mismas, si no estamos en nuestro eje, centradas, sabiendo lo que nos hace felices, siendo felices. Parando la vorágine de la cotidianidad, las crisis varias, el mundo globalizado, la tecnología, el "todo ya" y los mandatos varios. Justamente la ansiedad, el stress que todo eso genera debería ser nuestra llamada de atención y el motor para frenar, parar de cuajo esa corrida desenfrenada sobre la rueda "de hámster", le digo yo, una corrida sin dirección ni sentido.

Este es nuestro desafío, nuestra llamada para anclarnos en la conciencia de nuestro SER: ¿qué quiero, qué necesito para ser feliz? ¿Soy feliz? ¿Esto es lo que quiero ser? ¿Estoy editando mi mejor versión de mí? ¿Soy fiel a mí misma? ¿Estoy dejando un legado? ¿Es el legado que me gustaría dejar?

Definir la *conciencia* no es cosa sencilla. No obstante, si nos ceñimos a su origen etimológico puro, conciencia es la facultad que nos permite conocernos a nosotros mismos, esto es, ser *conscientes* de nuestra existencia...

Mi viaje continuaba desde un liderazgo transformador, a un liderazgo consciente, hacia un liderazgo comprometido...

Capítulo 3
Todos somos protagonistas - NO a la violencia

▪ Hacia un liderazgo comprometido

Combatir contra la violencia de género es una tarea de toda la sociedad.
No es una cuestión que compete solo a las jueces, a la policía o a los legisladores.
La Ley Integral contra la Violencia de Género ha mejorado el nivel
de protección de las mujeres, pero sus limitaciones han puesto de relieve
el profundo enraizamiento social de los hábitos culturales
y de las pautas sociales que siguen alimentando el machismo.
Enrique Echeburua Odriozola, catedrático de
Psicología Clínica, Universidad del País Vasco.

Todos somos responsables de prevenir y poner fin a la violencia
contra las mujeres y las niñas, comenzando por eliminar la cultura
de discriminación que permite que esa violencia continúe.
Ban Ki-moon

La violencia es el miedo a los ideales de los demás.
Mahatma Gandhi

El 2010 fue para mí el año en el cual me convertí en una militante de la construcción de herramientas para erradicar la violencia contra las mujeres, sin duda, la máxima expresión de discriminación hacia las mujeres y violación de los derechos humanos. Arrancarla de cuajo, sea cual fuere su forma y lugar. Empoderar a las mujeres en sus diversos roles dentro de la sociedad y poder brindar herramientas permite no solo contribuir a que las mujeres desarrollen su pleno potencial, sino también ayudarlas a dejar de ser una población vulnerable.

Sin embargo, esta no fue siempre mi postura. Como tantas

otras veces, llegué a esta decisión luego de atravesar un proceso que comenzó con una invitación que, en principio, quise rechazar. Me pareció que no era para mí. Sin embargo, esa llamada había iniciado una movilización que, luego lo supe, suele ocurrir cuando se entra en contacto con una temática tan dolorosa y que nos hace sentir impotentes.

Recibí una llamada de Silvia Zubiri, entonces directora ejecutiva de la Fundación Avon, para invitarme a formar parte de una campaña mundial para denunciar la violencia contra las mujeres.

Ese año, Avon Foundation y Vital Voices Global Partnership firmaron un acuerdo para crear una asociación global, con el objetivo de poner fin a la violencia contra las mujeres.

Se trató de una innovadora colaboración con el Departamento de Estado de los Estados Unidos para combatir los tipos de violencia más destructivos contra las mujeres y ayudar a garantizar justicia para mujeres y niñas de todo el mundo.

Las acciones comenzarían con un foro global, en el cual se reunirían quince delegaciones de distintos países compuestas por líderes de diversos sectores: negocios, gobierno, organismos de cumplimiento de la ley, las ONG, los medios de comunicación y entretenimiento, el sector académico y otros. Este foro, el primero en su tipo, permitiría compartir opiniones, forjar colaboración y buscar formas de superar las desafiantes realidades culturales que obstaculizan el progreso. Vital Voices y Avon Foundation también apoyarían a estas delegaciones en sus países, con programas regionales y una caja de herramientas para utilizar a lo largo del año como planes de acción.

Corté la conversación telefónica con Silvia con una sensación extraña, de contrariedad. Por un lado, el tema me producía rechazo, y por el otro, sentía una gran responsabilidad. El fin de la violencia contra las mujeres es una de las líneas de acción de nuestra organización. Yo tenía que acercarme al tema, tenía que entenderlo para poder liderar las acciones que emprendiéramos.

Intenté que alguna mujer dentro de la Comisión Directiva se interesara y pudiera sacar provecho de la participación en el foro, pero no encontré a ninguna. Las dificultades se multiplicaban: no coincidían las agendas, no podían tomarse ese tiempo de inversión en la temática, o directamente no les interesaba.

Comprendí que evitando mi participación estaba siendo ignorante, tal como lo describe la frase de Wayne Dyer: *Tu nivel más alto de ignorancia es cuando rechazas algo de lo cual no sabes absolutamente nada.* Entonces tomé mi decisión: asistiría al foro.

Dispuesta a ingresar en esta problemática y sin tener aún totalmente claro el modo en que haría mi aporte, confirmé mi participación en la delegación argentina.

Allí estaban Liliana Hendel[6], Monique Altschul, Carola Saricas, María Cristina Camiña y Mercedes Assorati[7]. También formaba parte de esta delegación la Dra. Inés Highton de Nolasco, vicepresidenta de la Corte Suprema de Justicia de la Nación Argentina, con quien tuvimos el honor de compartir algunas de las actividades. Me sentí sumamente honrada de tener la oportunidad de trabajar junto a ellas. Y muy sensibilizada a medida que profundizaba en mi conocimiento de los trabajos que cada una estaba liderando.

Luego de varios días de gran intensidad, en los cuales tuve

---

[6] Liliana Hendel es una psicóloga y periodista argentina, destacada por haber introducido la perspectiva de género especialmente en los medios de comunicación.

[7] Mercedes Assorati trabaja para combatir la trata de personas en Argentina. Para ello fundó Esclavitud Cero, organización que busca la eliminación de la trata de personas y el restablecimiento pleno de los derechos de las personas tratadas en Argentina y en la región.

oportunidad de empaparme del tema, volví a la Argentina, con un plan de acción para nuestro capítulo. Ese año, nos focalizamos en la trata de personas[8], en especial de mujeres.

La Fundación Avon tiene como misión constituir un espacio institucional de excelencia para promover efectivas posibilidades de realización personal para las mujeres. Actúa especialmente en temas de salud y bienestar de la mujer, a través de diversos programas de promoción y gestión social.

En Vital Voices buscamos aportar soluciones para esta problemática desde un lugar de compromiso que se interesa por lograr una sociedad más justa, responsable y sin violencia, abriendo el diálogo para vislumbrar posibles vías de participación conjunta que permitan impulsar la concientización y encontrar soluciones a este fenómeno.

La alianza local estaba en marcha... Se unieron las expertas en la temática por un lado, y las expertas en redes por otro, generando una fuerza poderosa de difusión. El 21 de septiembre, como si naciera una nueva estación para la organización, regalándonos sus plantas y flores que pronto darían sus frutos, el Museo de Arte

---

[8] La *trata de personas* –considerada la versión moderna de la esclavitud– es definida por Naciones Unidas como "la acción de captar, transportar, trasladar, acoger o recibir personas, recurriendo a la amenaza o al uso de la fuerza u otras formas de coacción, al rapto, al fraude, al engaño, al abuso de poder o de una situación de vulnerabilidad o a la concesión o recepción de pagos o beneficios para obtener el consentimiento de una persona que tenga autoridad sobre otra con fines de explotación". Las formas de explotación incluyen, pero no se limitan, la explotación de la prostitución, de la prostitución ajena u otras formas de explotación sexual, los trabajos forzados, la esclavitud o las prácticas análogas a la esclavitud, la servidumbre o la extracción de órganos. Si bien este delito afecta a personas de todas las edades y géneros, las mujeres y niñas son la población más vulnerable por padecer en mayor medida de falta de recursos. Esto las hace blancos fáciles para ser reclutadas bajo falsas promesas de trabajo, oportunidades educativas o, incluso, matrimonio.

Latinoamericano de Buenos Aires (MALBA) fue el escenario del comienzo de las acciones que planeamos. No podía llamarse de otra manera el panel organizado por la alianza: **Formando redes contra la trata de mujeres.** Fue un éxito, doscientas cincuenta mujeres se acercaron a involucrarse.

El nombre del panel, del cual participaron autoridades en la materia, constituye también la síntesis de nuestra postura frente a la problemática. Y así lo afirmé cuando realicé la apertura. Creo, y no soy la única, que es posible hacer un aporte sustancial para combatir las violencias formando redes dentro de la sociedad y uniendo las voces que son escuchadas para ayudar a quienes hoy no lo son.

Por otro lado, todas nuestras acciones de empoderamiento de las mujeres son herramientas fundamentales para el fortalecimiento, especialmente de aquellas que pertenecen a poblaciones o grupos en situaciones de gran vulnerabilidad.

La complejidad de la problemática nos alerta sobre la cantidad de áreas sociales que deben implicarse en la solución. No es posible combatir la trata y las otras violencias sin apelar a la participación de toda la sociedad. Incluso, para que exista una prevención posible necesitamos revisar y educar en una cultura antiviolencia a las nuevas generaciones.

El panel reflejó esta aproximación al tema en tanto analizó la problemática desde varias perspectivas.

Lo abrió la exposición de Analía Monferrer, secretaria letrada de la Oficina de Violencia Doméstica dependiente de la Corte Suprema de Justicia, quien subrayó la importancia de que el máximo Poder Judicial haya dado visibilidad a este flagelo y que hoy exista una entidad nacional –que se irá replicando en las distintas provincias del país– disponible las veinticuatro horas del día, todos los días del año, con el objetivo de actuar ante los casos denunciados. La Oficina de Violencia Doméstica fue creada en el año 2006 por la Corte Suprema de Justicia de la Nación.

Martín Santiago, quien fue representante del Proyecto de Naciones Unidas para el Desarrollo (PNUD) y coordinador residente del Sistema de Naciones Unidas en la Argentina, fue el siguiente expositor y afirmó que es justamente la invisibilidad, junto con la impunidad y la naturalización del acoso a las mujeres, uno de los problemas principales en torno a la violencia de género. Las cifras mencionadas demuestran la gravedad del caso: de las personas sometidas al trabajo esclavo, el 56% son mujeres, y el 98% de las víctimas de la explotación sexual y tráfico de órganos son mujeres y niñas. El 70% de las personas por debajo de la línea de pobreza son mujeres, lo cual las coloca en una situación de extrema vulnerabilidad.

El proceso de feminización de la pobreza fue uno de los aspectos mencionados por Mercedes Assorati, entonces coordinadora general del Programa Esclavitud Cero y nuestra tercera expositora. Ella destacó que uno de los pasos en la prevención del delito de la trata de personas es el trabajo sobre las causas estructurales, fomentando el desarrollo de las poblaciones más vulnerables para que las mujeres no deban migrar para encontrar oportunidades que les permitan sostener a sus familias. También subrayó la necesidad de trabajar sobre la educación y el fortalecimiento de las leyes, y de llevar a cabo un plan nacional para combatir la trata, entre otras medidas que incluyen el desaliento a la demanda de servicios y productos originados bajo condiciones de explotación, situación en la cual la población en general y los hombres en particular tienen un papel protagónico.

En Argentina, según datos recabados en siete ciudades capitales, existe medio millón de esclavos dedicados a las industrias textil y de la construcción. Seguramente estos datos hoy deben ser, lamentablemente, mucho mayores, detalló Assorati, quien además señaló que en América Latina existe la segunda red más extensa de trata internacional de personas, después de Asia.

Carola Saricas, en ese entonces representante del Ministerio de Justicia, Seguridad y Derechos Humanos de la Nación - Programa "Las Víctimas contra las Violencias" y Oficina de Rescate y Acompañamiento a Personas Damnificadas por el Delito de Trata[9], describió que nuestro país es origen, tránsito y destino de la trata internacional y local. *A nivel país, existen provincias de origen –La Rioja, Catamarca, Chaco y Formosa– y provincias de destino –Buenos Aires, Córdoba, Mendoza, entre otras– favoreciendo las zonas portuarias o que forman parte de la ruta del dinero,* explicó.

Luego describió el perfil de las víctimas y los pasos habituales del delito de trata. Con posterioridad a la captación y antes de la explotación, se da el traslado de la víctima a un lugar distante para provocarle confusión, desarraigo y también una deuda por los costos que luego deberá pagar con trabajo esclavo.

Sobre la recuperación de las víctimas habló Andrea Romero Rendón, directora de Proyectos de la Fundación María de los Ángeles, quien mencionó que *uno de los problemas principales que deben enfrentar las víctimas es contrarrestar el proceso de deshumanización al que se vieron sometidas durante el cautiverio, además de la superación del estado de temor y la autoculpabilización por los hechos.* La organización busca profesionalizar el trabajo iniciado por Susana Trimarco, fundadora y madre de la desaparecida Marita Verón, brindando asistencia profesional para acompañar a la víctima en su reinserción.

---

[9] La Oficina fue creada en el año 2008 por resolución 2149, en el ámbito de la Jefatura de Gabinete del Ministerio de Justicia, Seguridad y Derechos Humanos. Está integrada por un equipo interdisciplinario, conformado por las divisiones específicas de las Fuerzas de Seguridad, profesionales en Psicología, Trabajo Social y Abogacía.

Muchas de las mujeres que padecen algún tipo de violencia no son conscientes de su condición y por eso no buscan ayuda, expresó Monique Altschul, directora ejecutiva de Fundación Mujeres en Igualdad. Trabajar tanto en la difusión como en la prevención es fundamental. *La tarea de alerta debe adoptar diversas formas dentro de la sociedad civil, dado que la trata es posible porque existe la corrupción, ya sea por acción o por omisión,* agregó.

El panel también se ocupó de la difusión de la problemática y fue este el aspecto al cual se refirió Daniela González, productora general de Cosmopolitan TV. Ella afirmó que *el papel de los medios tiene que servir como alerta.* Esta señal lanzó una serie de documentales respecto de la violencia femenina, y destacó la trascendencia de mostrar otras alternativas en los vínculos representados dentro de las historias televisadas.

En esto coincidió Liliana Hendel, quien reforzó el concepto advirtiendo que ciertos contenidos de aire se enfocan en *una concepción del amor patriarcal que es facilitadora de un lugar social de la mujer* y que por ello es vital el tratamiento de las problemáticas de la violencia de la mujer desde una óptica de género.

Uno de los datos que más me impactó, y que hoy sigue más vigente que nunca, es que una de cada tres mujeres en el mundo ha sufrido o sufrirá algún tipo de violencia física o sexual en el transcurso de su vida. En Argentina, al menos una mujer muere cada tres días como consecuencia de las agresiones de un varón de su entorno familiar: novios, esposos o exparejas. Esto ocurre y nos afecta: amenaza a nuestras mujeres, afecta el crecimiento de miles de niñas, niños y adolescentes, provoca la destrucción de incontables familias, y como si ello fuera poco, genera pérdidas millonarias en productividad y gastos en salud alterando los números de la economía.

Las víctimas de la violencia de género están muy cerca de nosotros.

En general, están desorientadas y seguramente tienen miedo. Si tenemos información adecuada, podemos ayudarlas.

ONU Mujeres alerta sobre una pandemia mundial. Claramente esta no es una temática liviana, tenemos que saber que hay manifestaciones muy extremas de violencia, como la trata de personas, y es algo que nos tiene que importar como sociedad.

La trata de personas es uno de los delitos más aberrantes de nuestro tiempo, tanto que es considerado un crimen de lesa humanidad. Un crimen que ofende a la conciencia de la humanidad.

Siendo que el desconocimiento y la tolerancia social colaboran para que este delito crezca en la impunidad, claramente, si nos sumamos a un movimiento global en su contra, estamos construyendo obstáculos para su crecimiento. Ningún organismo o sector de la sociedad puede resolver este problema en forma aislada. ¡Necesitamos trabajar juntos!

La mayoría de las mujeres captadas por estas redes, si tienen la suerte de ser rescatadas, no pueden recuperarse totalmente. Pero hay algunas que no solo se recuperan sino que convierten su experiencia en una bandera de lucha, en la fuerza impulsora de su propia vida. Todo su esfuerzo lo ponen al servicio de una causa que busca justicia y reconstrucción de la vida de otras mujeres, tanto como la creación de condiciones de mayor seguridad para todos. No podemos distraernos. Este es un tema acuciante y necesita nuestra participación.

Admiro a las personas capaces de realizar semejantes movimientos en sus vidas. Son una inspiración. Actualmente, respeto profundamente a las personas que trabajan con la temática de la violencia y aprovecho, tal como ya lo he dicho, cada oportunidad que se me presenta para difundir las herramientas que vamos construyendo para erradicar esta herida que tiene la humanidad.

Otro aporte a la difusión y reconversión de las víctimas fue la reconstrucción de la historia de siete luchadoras, en distintas partes del mundo, cuya tarea ejemplifica el mensaje que deseamos transmitir.

Ese trabajo fue transformado en una obra de teatro documental cuyo objetivo es concientizar acerca de los derechos humanos de la mujer y reflejar al mismo tiempo la acción transformadora del liderazgo femenino. Siete reconocidas guionistas trabajaron en conjunto para crear los textos, basados en entrevistas personales a siete mujeres, todas ellas miembros de la Red Global de Vital Voices.

Ellas, gracias a su valentía, lograron reformas fundamentales en sus países.

La obra se llamó "Seven" ("Siete") y en marzo del 2009 fue presentada por Hillary Clinton en Nueva York. Fue representada, entre otras, por la reconocida actriz Meryl Streep.

Un año después, por primera y única vez, "Seven" se presentó en Argentina. La llamamos "Siete", fue dirigida por Teresa Costantini e interpretada por reconocidas y comprometidas actrices argentinas, como Hilda Bernard, Graciela Dufau, Verónica Llinás, Carola Reyna, Muriel Santa Ana, María Socas y Silvana Sosto. Fue una representación magnífica, que contó con la asistencia de más de quinientas personas y tuvo una repercusión mediática que superó ampliamente las expectativas.

Sin duda, el arte como vehículo de concientización es una poderosa arma de prevención de la que tendríamos que aprovecharnos más para alertar y difundir a la población. Fue la misma Susana Trimarco quien contó, en el panel que montamos inmediatamente a posteriori de la representación de "Siete", que la famosa serie televisiva "Vidas Robadas" había permitido instalar el tema de la trata de personas a nivel nacional y social. *Antes del 2002 no se hablaba ni se conocía del tema. Llevarlo a la televisión permitió quitar-*

nos la venda de los ojos, manifestó Trimarco antes de advertir que es fundamental seguir trabajando a través de diversas acciones.

Como para todos los que trabajamos en estos temas y, puntualmente, para todas las que trabajamos para que esta presentación fuera posible, también para Teresa fue muy movilizante. Apenas un año después, Teresa presentaba otra obra inspirada por "Siete": "Hembras, un encuentro con mujeres notables". Mujeres argentinas del pasado a quienes preocuparon asuntos tan vigentes hoy como entonces y que merecían ser destacadas. Todas elegidas porque, aun con enormes diferencias, todas se unieron, fueron líderes, se agruparon, crearon movimientos y sus acciones las trascendieron.

■

Recientemente, representadas por Mariana Massaccesi, coordinadora general de Voces Vitales Argentina, participamos en la ciudad de México de la Primera Reunión Regional de América Latina sobre la Iniciativa Global de Respuesta de Emergencias en Casos de Violencia de Género. Durante el encuentro, representantes de distintos sectores se unieron para recolectar los avances a nivel de cada país, de la región y del mundo, con el fin de desarrollar estrategias y planes de acción, para intercambiar las prácticas que ayuden a prevenir, combatir y erradicar de una vez por todas la violencia de género en América Latina y el Caribe.

Gracias a los aportes fundamentales, algunas de las principales conclusiones a las que pudimos llegar son:

-La violencia de género es la expresión máxima de discriminación hacia las mujeres.

Poner fin a la violencia contra las mujeres no es solamente un tema de mujeres. Es una cuestión que compete a los hombres, a los derechos humanos y a la economía. Los datos a nivel mundial expresan una situación alarmante: **las mujeres de entre quince y cuarenta y cuatro años tienen más riesgo a ser violadas o a sufrir violencia doméstica que de tener un accidente de moto o contraer malaria.**

-**El desarrollo de alianzas y redes para la coordinación de las respuestas es estratégico y urgente.**
La vida de una mujer tiene el mismo valor en China que en México, por eso es necesario mejorar la coordinación regional e internacional y elaborar respuestas urgentes a todos los tipos de violencia. Es clave homologar procesos y lograr un verdadero acceso a la justicia. Debemos desarrollar estrategias e intervenciones en paralelo desde la escuela hasta los gobiernos, para implementar planes de acción que ayuden a combatir realmente los retos que aún quedan para prevenir y erradicar la violencia.

-**Los hombres tienen que ser aliados indiscutibles.**
Transformar las normas perjudiciales y las dinámicas de poder no equitativas entre los hombres y las mujeres es la parte más importante de este proceso. Los hombres se benefician cuando se desafían prácticas perjudiciales y participan activamente en tareas como el cuidado familiar. Hay que recordar que lo hombres, y especialmente los niños, también son víctimas del *círculo de violencia*: cuando experimentan o son testigos de situaciones de violencia en sus hogares son más propensos a perpetuarla en su adultez. Además de trabajar con los hombres a nivel individual, es necesario desarrollar instituciones que apoyen los cambios, debemos incorporar licencias por paternidad extendidas, y ofrecer oportunidades para reorganizar el trabajo y favorecer la conciliación con la vida familiar. No estamos solas, los hombres no son meros fiscales de esta problemática; deben ser parte de la solución.

-La voz de los sobrevivientes en las políticas públicas es vital. Hay que trabajar con énfasis en la prevención.

La experiencia de los sobrevivientes en el diseño de las políticas públicas funciona como un faro; además de escuchar y asistir a las víctimas y sobrevivientes, hay que avanzar hacia un sistema que los aborde de manera integral. Conocer desde adentro el flagelo para nosotros y para la región es importante. Entender la complejidad de la naturaleza de la violencia y comprender el testimonio de quienes la han padecido tiene que ser el motor que empuje al Estado en su lucha y sus herramientas.

A pesar de que la violencia contra las mujeres es condenada socialmente y penada por la ley, subsiste y aumenta; todavía hay un sistema de creencias que la acepta y la legitima. Trabajar en la prevención y en las respuestas contribuirá a **una vida libre de violencia con beneficios para todos.** Dijo el francés George Steiner: *Si lo que sucedió no se reconoce, entonces no tiene más remedio que seguir ocurriendo siempre, en un eterno y triste retorno.*

■

Me enorgullece como organización haber instalado el premio Hombre Voz Vital en nuestro país. Un reconocimiento para hombres extraordinarios que desde su lugar aportan fervientemente su trabajo y su voz para lograr un mundo más igualitario para las mujeres, trabajando en pos de la protección de los derechos humanos y el empoderamiento.

La obra de arte que cada año es donada por la reconocida y generosa artista argentina Nora Iniesta ha sido entregada durante estos últimos años a Marcelo Amden, asesor comercial de la Embajada de Estados Unidos en Argentina; Jorge Gronda, médico ginecólogo del Centro Ginecológico Integral (CEGIN) de las ciudades de Jujuy y Salta; Sebastián Sarasola, cofundador y director ejecutivo de Fundación Media Pila; Miguel Larguía, presidente de la Fundación Neonatológica, y los dos últimos galardonados, cuyos casos quisiera destacar por su labor en la difusión, prevención y eliminación de la violencia de género: el fiscal Marcelo Colombo y el periodista Maximiliano Montenegro.

El Dr. Marcelo Colombo se desempeña desde el 2008 como fiscal de la Procuración General de la Nación, y es titular de la Procuraduría de Trata de Personas y Secuestros Extorsivos, encargada de asistir a los fiscales federales en la detección, investigación y sanción del delito federal de trata de personas. Es y ha sido un incansable protector de los derechos humanos y en particular ha trabajado intensamente en favor de las víctimas de trata de personas proponiendo exitosos planes de acción y propiciando la firma de convenios para asegurar un tratamiento profesional y adecuado ante tales problemáticas.

Maximiliano Montenegro es periodista egresado de la Universidad Nacional de La Matanza y trabaja en el Diario Popular desde 1999. Es redactor especializado en la sección Policiales y Judiciales. Hace varios años se destaca por realizar abordajes periodísticos con perspectiva de género. Desde 2014 forma parte de la Red Internacional de Periodistas con Visión de Género en Argentina (RIPVGA) y también fue reconocido en el 2015 con el premio Lola Mora por su permanente labor en favor de "una imagen positiva de las mujeres, rompiendo con los estereotipos de género y promoviendo la igualdad de oportunidades y trato".

Maximiliano Montenegro, al recibir su premio en el marco de la VII Jornada Anual de Voces Vitales en el 2015, mantuvo a un salón con seiscientas personas en vilo contándonos una cruel y triste historia, una historia real, una de esas que lamentablemente quedan sepultadas... Hoy le quiero dar vida una vez más, reproduciéndola aquí:

Les quiero contar una historia. La protagonista es Brisa, una nena de dos años, que el próximo 15 de septiembre cumplirá tres. Esta vez su mamá, Daiana Barrionuevo, no estará a cargo de hacer la torta, ni de colgar guirnaldas, inflar globos, invitar a los chicos del barrio y los familiares, y todo aquello que hace falta en una fiesta de cumpleaños. El cuerpo de Daiana, mamá de Brisa y de dos varones mellizos de siete años, fue hallado el 10 de enero de este año, dentro de una bolsa que flotaba en un río de Moreno. El hallazgo fue una casualidad.

Iván Adalberto Rodríguez, pareja de Daiana, había denunciado en sede policial el 20 de diciembre, tres semanas antes de aquel hallazgo, que la mujer había abandonado el hogar, escapándose con un amante. Durante la Navidad, días después del "escape" de Daiana, este hombre estuvo en la casa de la familia Barrionuevo, llorando por la situación y recibiendo consuelo de su suegro Osvaldo y sus cuñadas Cintia y Joi, aun cuando las sospechas eran cada vez mayores. Daiana no se había fugado con un hombre, abandonando a sus hijos y su marido. A Daiana le habían pegado tanto que su cuerpo no resistió todo ese dolor y colapsó. A Daiana la envolvieron en una frazada y la introdujeron en una bolsa de consorcio, como si fuera basura. A Daiana la arrojaron a un río. A Daiana la siguieron golpeando aun después de su muerte, con una policía y una justicia que nada hicieron por buscarla, creyendo aquello de la supuesta fuga. Bastó que el femicida elaborase una coartada con tufillo machista para que los receptores de la denuncia se hicieran un festival con sus prejuicios de género y principios sexistas. Los adjetivos, expresados o no, surgieron naturalmente: zorra, traidora, mala madre, y el más abarcativo, puta. Pero el cuerpo fue encontrado. Y todo eso se desmoronó. Y Daiana, ahora sí, se liberó. Y Daiana, ya muerta, empezó a hablar. Daiana, su memoria, su cuerpo, contaron sobre la violencia que sufrió durante años, en su casa, puertas adentro, sin lograr pedir ayuda, sin recibirla, sin poder saltar el muro del miedo. Y gritó por justicia, finalmente, Daiana. Iván Adalberto Rodríguez está preso desde comienzos de año, y probablemente resulte condenado a una pena de prisión perpetua. Pero les contaba que la protagonista de esta historia es Brisa, la nena de 2 años que cumplirá tres el próximo martes. Sin su mamá. Actualmente, Brisa y sus hermanitos viven con su tía Cintia, que es madre de tres chicos. Como periodista, cubrí el femicidio de Daiana, pero luego publiqué una nota con el pedido de ayuda de Osvaldo, el abuelo de Brisa, que de manera desesperada solicitaba apoyo para sus nietos, con vestimenta, útiles, juguetes y alimentos. En la nota, aparecía el número de teléfono de la familia. Un par de semanas después, llamé a Osvaldo para preguntarle si había tenido novedades con la ayuda, y me contó que los llamados fueron decenas, pero no se había concretado nada. Insistí con la situación. Esta vez en mi muro de Facebook, y allí muchas personas se solidarizaron. Pero solo una, en silencio, comenzó a juntar cositas. Se llama Vanina Calvete, y es amiga de Liliana Garabedián, otra víctima de femicidio en Catamarca. Me enteré de eso que venía haciendo Vanina y pensé que estaría bueno tratar de multiplicarlo. Así que empezamos a pedir cosas. Y se sumaron Dora Otero Pérez, Marilina Villarejo, Patricia Sanmamed, Sandra Ruiz, Charly Núñez, Roxana Carbone, Lucía Galopo, Florencia Deimundo, Verónica Isola, y muchos más. Hoy somos un grupo que va por varias "caravanas solidarias", como las llamamos, haciendo eje y visibilizando todo lo posible en la realidad de los hijos y las hijas de las mujeres víctimas de femicidio. Ellos y ellas son, también, víctimas. Pero están abandonados por las instituciones, sin contención, sin ayuda, sin gente que los acompañe. La Casa del Encuentro registró a 1.808 mujeres asesinadas desde 2008 hasta 2014. Estas mujeres eran madres de 2.196 hijos e hijas. Brisa es una de ellas. Y con este grupo tratamos de no dejarla sola. Por eso, en estos días estamos organizando junto a la familia el cumple de Brisa, el primero sin su mamá Daiana. Les cuento esto porque estamos aquí discutiendo qué podemos hacer para lograr un mundo mejor, más solidario, justo, igualitario, libre de violencias y prejuicios. Y se me ocurre que lo mejor es caminar con otras, con otros, y construir desde el amor.

Cada vez son más los hombres que están involucrados activamente. Para mencionar y honrar el trabajo de cientos y miles de hombres que también hacen su aporte a la lucha contra este flagelo, destaco y adhiero a las frases que colgaban en las últimas campañas mundiales contra la violencia de género: **"Pagar por sexo es financiar la esclavitud de mujeres y niñas. Los hombres de verdad no compran mujeres"** o **"Difundir videos de señoritas sin su consentimiento también es violencia".**

Está claro. La violencia contra las mujeres y la trata de personas es la máxima expresión de discriminación hacia las mujeres y de violación de los derechos humanos. Es consecuencia de la discriminación que sufren, tanto en leyes como en la práctica, y la persistencia de desigualdades por razón de género. Las violencias contra las mujeres afectan e impiden el avance en muchas áreas, incluidas la erradicación de la pobreza, la lucha contra el VIH/SIDA y la paz y la seguridad. La violencia contra las mujeres y las niñas se puede evitar. La prevención es posible y esencial. Es una pandemia global. Hasta un setenta por ciento de las mujeres sufren violencia en su vida. No podemos mirar para otro lado. No me lo perdonaría. Estimo que vos tampoco. Involucrémonos...

Parafraseando a Jean Shinoda Bolen, la tercera ola del feminismo será un movimiento pacifista que ha empezado a originarse en el reconocimiento de que solo y únicamente cuando mujeres, niñas y niños estén a salvo de la violencia, de las privaciones y abusos, podrá el ciclo de la violencia que engendra más violencia, y que constituye los cimientos del terrorismo y de la guerra, llegar a su fin.

Casualmente estoy editando este capítulo cuando estoy recibiendo en mi casa, por segunda y no será la última vez, a una talentosa artista brasilera premiada por Vital Voices Global por su labor de concientización y difusión contra la violencia de género. Se trata de la grafitera Pamela Castro, quien transformó su historia personal en un mensaje y lo expresa en artísticos murales y otras obras de arte que están recorriendo el mundo.

Ahora está pintando un mural enorme en Wyndwood (Miami, Florida), mientras juntas estamos gestando una movida mayor para la campaña de activismo de dieciséis días contra la violencia de género que comienza el 25 de noviembre, Día Internacional de la Eliminación de la Violencia contra la Mujer, y que termina el 10 de diciembre, Día de los Derechos Humanos. Esta campaña mundial tiene como objetivo llamar a la acción para poner fin a la violencia contra las mujeres y las niñas en todo el mundo.

El tiempo que transcurre entre el Día Internacional de la Eliminación de la Violencia contra la Mujer y el Día de los Derechos Humanos no es solo un espacio simbólico, es un momento fundamental para generar conciencia y movilizarnos para conseguir un cambio verdadero en una problemática muy importante, sobre todo para las mujeres. Sin duda, terminar con las violencias de género es una necesidad vital para las nuevas agendas de los gobiernos del mundo.

No tardé demasiado en empezar a preguntarme si las violencias contra las mujeres no estaban encubiertas también en aquellas mujeres que por el mismo trabajo cobran hasta un 30% menos que sus pares hombres, o aquellas que tienen doble o triple jornada laboral, porque sus compañeros no las acompañan en las tareas domésticas y de crianza de los hijos; en aquellas mujeres que tienen una carrera desigual, casi diría con obstáculos, para acceder a una banca en el Parlamento, a un cargo de relevancia en el ejercicio del poder.

¿No es eso violencia también? Quizá la tenemos tan naturalizada que nos pasa inadvertida... Estas violencias no dejan marcas visibles ni nos quitan la vida... pero no dejan de ser violencias. Creo que esta línea de pensamiento y, consecuentemente, de acciones que podemos tomar y activar, mujeres y hombres juntos, es parte de la erradicación de las violencias de género reinantes en el mundo. Necesitamos más mujeres en el seno del poder. Necesitamos igual o más participación de mujeres que de hombres en el Parlamento, necesitamos más mujeres en la arena política. ¿Será que mientras más mujeres haya en el poder, más posibilidades habrá de tratar los temas que conciernen a las mujeres? No sé... Pero sí estoy convencida de que necesitamos más modelos de mujeres en ejercicio del poder. Necesitamos mujeres que puedan cuestionar el *statu quo*, que ocupen esos lugares de poder desde una perspectiva de género, porque de lo contrario solo reforzarían un orden que hay que cambiar.

En un artículo reciente del diario *La Nación* firmado por Raquel San Martín, se mencionaba que en América Latina el 51% de los militantes de partidos políticos son mujeres, pero que solo alcanzan al 16% de los presidentes o secretarios generales, mientras que las alcaldesas no superan el 13%. Según cifras de ONU Mujeres, solo un 22% de los parlamentarios del mundo eran mujeres en agosto de 2015 (en Argentina es el 38%), once mujeres jefas de Estado y trece jefas de Gobierno. En enero de este mismo año, solo 17% de los ministerios del mundo estaban en manos de mujeres.

A propósito, en Argentina funciona la ley de cupo desde 1991, que indica que al menos el 30% de los integrantes de las listas de candidatos al Congreso nacional deben ser mujeres. Como mencioné en el párrafo anterior, en Argentina esa cifra asciende al 38%, y tengo la esperanza de que la agenda de gobierno proponga llevarla a la paridad del 50% de manera alternada y secuencial entre hombres y mujeres, tal como en los países pioneros de la región: Ecuador, Bolivia, Costa Rica y México.

Estoy convencida de que la ley de cupos ha logrado visibilizar y naturalizar a las mujeres en el ejercicio del poder.

Quisiera compartirles una anécdota que escuché, que para este entonces ya he contado en innumerables ocasiones y me sigue encantando:

Un niño de cuatro años se acercó a la presidenta de Chile, Dra. Michelle Bachelet, y le dijo:

—Cuando sea grande, quiero ser vicepresidente.

—¿Y por qué no presidente? —le preguntó la primera mandataria.

—¿Cómo? ¿Los hombres también pueden ser presidentes? —preguntó el niño.

Si bien "a buen entendedor pocas palabras", me gustaría enfatizar la necesidad de contar con más modelos, ejemplos de mujeres liderando diferentes espacios, países, empresas, organizaciones civiles.

Mi proceso interior había recorrido un camino que me transformaba. De sentirme ajena a la temática sobre las violencias de género, incluso de rechazarla, pasaba a sentirme una parte activa que respondía a la necesidad de combatirla.

Me siento parte de una red contra este tremendo crimen y, como tal, informo y me informo, aprovechando toda oportunidad para hacerlo.

Y ahora mismo, en este espacio, te invito a que seas parte de esta red, que participes, que estés alerta y alertes a otras mujeres y niñas. Tenés que saber que simplemente acceder a información sobre el tema y contribuir en su difusión ya es un paso fundamental. Tomar conciencia de la injusticia ya es un paso hacia la justicia.

La experiencia que he transitado a lo largo de estos años me convirtió en una luchadora por los derechos humanos de las mujeres. De la indiferencia (¿o era resistencia a algo que me causa un gran dolor?) que tenía sobre las violencias de género, en todos sus aspectos, me convertí en una activista irreversible. Deseo que cada vez seamos más las que asumamos una responsabilidad, un compromiso, una promesa de acción para terminar completamente y de una vez por todas con esta injusticia, expresión máxima de discriminación hacia las mujeres.

Desde un liderazgo transformador, hacia un liderazgo consciente, hacia un liderazgo comprometido, felizmente me acercaba a un liderazgo compartido, complementario.

Capítulo 4
Mujer y liderazgo: liderazgo femenino

▪ Hacia un liderazgo complementario y compartido

> *No existe el hombre perfecto, no existe la mujer perfecta.*
> *Existen solo hombres y mujeres imperfectos capaces*
> *de perfeccionarse y complementarse el uno al otro.*
> **Anónimo**

> *La competencia de un solo sexo no ofrece sino*
> *una respuesta parcial. No se puede edificar*
> *una sociedad en su plenitud salvo que se utilicen*
> *simultáneamente los dones propios de cada sexo*
> *y aquellos que les son comunes, es decir,*
> *apelando a los dones de la humanidad entera.*
> **Margaret Mead**

> *Y al igual que las mujeres están llegando a abrazar*
> *su propio poder para efectuar cambios,*
> *los hombres están ampliando sus perspectivas,*
> *para entender que las mujeres*
> *son verdaderas socias en el progreso global.*
> **Kim Azzarelli**

Como venía observando, este camino se ponía cada vez más desafiante. Asegurar una participación total de mujeres y niñas en el mundo de hoy seguía siendo uno de los asuntos pendientes del siglo. A esta altura, ya había entendido que este no era un asunto de mujeres sino un asunto familiar, de los hombres y la sociedad en su conjunto.

Numerosos estudios demostraban que invertir en el liderazgo

de las mujeres era lo más inteligente por hacer. Esta inversión facilita el progreso mundial, reduciendo la pobreza a un ritmo más rápido, especialmente debido a que esa inversión vuelve con creces a la comunidad, mejorando las condiciones de vida, tanto en los ámbitos familiares como laborales, tanto en lo público como en lo privado.

Sin embargo, el único obstáculo no es la inversión externa. Las mujeres debemos superar barreras internas y externas a la hora de incursionar en el mundo público.

Así como el gran desafío del siglo XXI es la equidad de género, el fenómeno de mayor trascendencia sociodemográfica de la segunda mitad del siglo XX fue la incorporación de la mujer al mundo laboral.

Si bien la mujer ha logrado grandes avances, especialmente en la educación y en la participación laboral, debemos reconocer que necesitamos seguir trabajando no solo para que su talento sea reconocido sino para que cada vez accedan más mujeres a los niveles más altos de liderazgo.

Las barreras externas que enfrentamos las mujeres son culturales, estructurales e institucionales. Barreras que han existido y siguen existiendo en el camino hacia una sociedad más justa e igualitaria.

Las barreras internas tienen que ver con la percepción que tenemos de nuestro propio valor en el trabajo dentro del hogar y fuera de él.

Según encuestas privadas y relevamientos de organismos gubernamentales, casi cincuenta años después de la irrupción femenina en el mercado laboral persisten las desigualdades en los salarios y en el acceso a roles directivos. Está comprobado que con el mismo nivel (o más) de educación formal, e igual o mayor capacidad de ejecución, las mujeres ganamos menos que los hombres.

Los especialistas en la materia sostienen que para revertir este escenario tenemos que seguir trabajando en transformar los prejuicios de género empezando en la educación temprana en el hogar y en la escuela, redistribuir las tareas domésticas, promover profesiones técnicas entre las mujeres y mejorar la legislación laboral para equiparar las licencias por maternidad y paternidad. Claramente, no es solo un asunto de mujeres. Tenemos que llevar esta cuestión a las mesas familiares, sumar a nuestros hombres y actuar en unidad para generarlo.

Sin considerar que la palabra *mujeres* pueda designar a un todo homogéneo, sí creo que las mujeres tenemos características distintivas e innatas que, sin duda, aportan valor agregado al liderazgo.

Me gustaría compartir un cuento que recuerdo como si lo hubiera escuchado ayer:

Una nueva tienda que **vende maridos** acaba de abrir en la ciudad de Nueva York. Cuando las mujeres van a elegir un marido, tienen que seguir las instrucciones en la entrada:

Usted puede visitar esta tienda ¡SOLO UNA VEZ! Tenemos seis plantas y el valor de los productos aumenta a medida que ascienden en los pisos. Puede elegir a cualquier marido de un piso en particular, o puede optar por subir al siguiente piso, pero **NO PUEDE volver a bajar**, excepto para salir del edificio.

Así, una mujer va a la tienda para encontrar un marido.

En el cartel de la primera planta se puede leer: "Planta uno: Estos hombres tienen trabajo". El letrero del segundo piso dice: "Planta dos: Estos hombres tienen trabajo y aman a los niños". El letrero del tercer piso reza: "Planta tres: Estos hombres tienen trabajo, aman a los niños y son bien parecidos".

"Wow", piensa, pero se siente obligada a seguir adelante.

Ella va a la cuarta planta y el cartel dice: "Planta cuatro: Estos hombres tienen trabajo, les encantan los niños, son terriblemente apuestos y ayudan con las tareas domésticas".

"Oh, por Dios –exclama–. No puedo dejar pasar esta oportunidad".

Aun así, ella va a la quinta planta donde el letrero dice: "Piso cinco: Estos hombres tienen trabajo, les encantan los niños, son guapísimos, ayudan con las tareas domésticas y son unos leones en la cama".

La mujer se ve tentada a quedarse, pero va hasta la sexta planta y el cartel dice:

"Piso seis: Usted es la visitante **3 514 500 000** de esta planta. No hay hombres en este piso. Esta planta existe únicamente como prueba de que las mujeres son imposibles de complacer. Gracias por visitar La Tienda de Maridos".

Para evitar cargos por sesgo de género, el dueño de la tienda abre una tienda de esposas al otro lado de la calle.

La primera planta tiene esposas que aman satisfacer a su marido. La segunda planta dispone de esposas a las que les encanta satisfacer a su marido y tienen dinero. El tercer, cuarto, quinto y sexto piso nunca han sido visitados...

Ese cuento lo escuché justamente un par de meses después de mi regreso del programa de mentoreo internacional, en un Congreso sobre Mujeres y Calidad, organizado por quien era mi cliente entonces, FUNDECE - Fundación Empresaria para la Calidad y la Excelencia. Yo estaba a cargo de la difusión y la visibilidad. Quien lo contó fue una monja, Sister Mary Jean Ryan, presidenta y CEO de SSM Health Care, a quien no me costó generarle entrevistas en los medios, que además le dedicaron varias páginas a ella y a su excelentísima labor. En esas entrevistas habló sobre liderazgo, calidad y valores, enfocada en las mujeres. Fue muy precisa:

La sociedad en general ha sido bastante lenta en apreciar la manera en que las mujeres pueden hacer la diferencia. En los últimos años e incluso actualmente, tenemos mujeres presidentas en varios países, incluyendo Alemania, Liberia, Chile, Argentina. En Chile, Michelle Bachelet, madre sola, médica que sobrevivió a la tortura, se convirtió en presidenta de su país y prometió reconciliación y paz. Bachelet dijo: "(...) porque fui víctima del odio, he dedicado mi vida a revertir el odio y a transformarlo en entendimiento, tolerancia y por qué no decirlo, en amor".

En Liberia, Ellen Johnson Sirleaf, una economista educada en Harvard, fue electa presidenta –la primera en África–. A pesar de haber sido encarcelada dos veces y de estar exiliada durante años, prometió restaurar la paz. Johnson Sirleaf dijo que ella quería ser presidenta para "traer sensibilidad maternal y sentimientos a la presidencia" como una manera de sanar las cicatrices de la guerra.

"Amor", "sensibilidad maternal", "sentimientos", "sanación"... Claramente, estas no son palabras frecuentemente utilizadas por presidentes de las naciones. ¡Qué hermoso es escucharlas! ¡Y cuánto coraje hay que tener para decirlas!

Sister Ryan infirió que estas mujeres estaban poniendo su talento para mejorar el mundo...

Pero nos instó a todas a entender que no necesitamos ser presidentas de la nación para usar nuestros talentos y con ellos hacer una diferencia y nuestro aporte al mundo. De hecho, probablemente ya estábamos haciendo nuestra diferencia en pequeñas cosas todos los días, y a veces ni nos imaginamos la enorme diferencia que hacemos y el gran impacto que generamos.

Reconozcan sus talentos –nos recomendó–. Úsenlos al servicio de los otros y tengan fe en que están mejorando el mundo de esa forma. La diferencia que hagan puede ser tan pequeña (o tan grande) como estar sentada en un rincón rezando ante una situación en donde no tienes nada más que hacer, o tan grande (o pequeña) como llevar sensibilidad maternal a una nación y servir a las personas que más lo necesitan. Cualesquiera que tus talentos sean, las aliento, como personas de integridad que son, a que se miren por dentro, se conozcan verdaderamente, encuentren sus valores, y luego los usen para hacer una diferencia en el mundo.

El encuentro con esta monja bajita, que hablaba pausado, con determinación y pasión, se convirtió en otra señal de que mi visión, mi misión y mi fuerza impulsora estaban en pleno proceso de transmutación.

¿Será entonces que las mujeres poseemos características distintivas e innatas para llevar a las mesas de decisiones? ¿A los equipos de las organizaciones?, me pregunté. Y ese fue el motor de mi periplo maratónico de lecturas femeninas y feministas, con profundidad y rigor académico algunas, y bien livianas e igual de interesantes otras, de autoras nacionales e internacionales. Quería escuchar todas las voces, todas las campanas. Sin dudarlo, como si hubiese sido una deuda pendiente, me zambullí a tratar de identificar todos aquellos "valores" que podíamos aportar.

La sensibilidad en las relaciones interpersonales, la capacidad de escuchar abiertamente, la facilidad en la comunicación, la creación de lazos en el largo plazo, el pensamiento lateral, la creatividad, la capacidad intuitiva y el desarrollo de la multitarea, o mejor dicho, la capacidad de procesar varios temas a la vez, son algunas de las características que, aplicadas a los roles de liderazgo, establecen una diferencia entre ambos sexos. Fue lo primero que rescaté.

De estas características se desprenden ventajas que aportan calidad a la gestión: el liderazgo femenino es abierto y contenedor, centrado en la cooperación; las mujeres somos flexibles y tendemos a eliminar la burocracia, a hacernos cargo de los proyectos que lideramos, de los miembros del equipo en forma indistinta.

Somos colectivistas y participativas con gran capacidad de integración, lo que resulta ideal para una cultura interdisciplinaria compleja. Tendemos naturalmente a armar redes y a apoyarnos en otras/os; por lo tanto, somos más jugadoras de equipo, estamos más dispuestas a compartir información, y en las negociaciones nos enfocamos en que todas las partes se lleven su rédito y su crédito.

Hay expertos que también mencionan rasgos de la personalidad como la empatía, la intuición, la paciencia, el ser detallistas y una comunicación o trato más directo y cercano con los demás.

Patricia Debeljuh, investigadora del centro CONFYE-Standard Bank y autora de varios libros, en *Varón + mujer = complementariedad*, explica que la intuición es una característica directiva femenina: *La empatía está relacionada con la intuición, característica muy femenina, y que se define como aquella facultad de captar un conocimiento directo e inmediato, sin intervención de la deducción o razonamiento, siendo habitualmente considerado como evidente. La palabra "intuición" viene del latín "intueri", que se traduce como "mirar hacia adentro" o "contemplar", dos actitudes que expresan la femineidad y que tienen que ver con aprender de la experiencia propia, de lo que pasa dentro de uno mismo. La mujer puede percatarse de forma directa de aquello que no se puede expresar con razones, aunque a veces puede equivocarse por la rapidez de su juicio o por la unilateralidad de sus afectos. Dadas las situaciones que ha tenido que enfrentar, es claro que la intuición y el uso de su experiencia adquirida marcan completamente una característica directiva femenina.*

En general, el estilo de liderazgo de los hombres es bien distinto. Cuando están en la cúpula de la organización se ven, justamente desde ahí, arriba de todo, mirando hacia abajo. Mezclan su propensión a tomar decisiones rápidas y a querer resolver lo antes posible, no se dan el tiempo para conectar con ese aspecto más femenino que todos los humanos tenemos: empatía, intuición, imaginación, sentido común, conectividad, conexión. En definitiva, los hombres quieren resolver y ganar rápidamente y lo hacen impartiendo órdenes desde arriba. Es un patrón ligado, por lo general, a la jerarquía y la coerción.

Como contrapartida, las mujeres en posiciones de liderazgo, usualmente, nos sentimos en el medio de todo, nos comportamos como verdaderas "facilitadoras", tendiendo "puentes" entre unos y otros. Para tomar decisiones necesitamos contar con toda la información disponible y convocamos al equipo de trabajo para saber su opinión y sopesar alternativas; somos integradoras, buscamos equilibrar y conciliar la vida laboral y personal. Contamos con más habilidad verbal, mayor capacidad de interpretar el lenguaje corporal, y visualizamos el poder como una suma de conexiones.

Y, como en todo, también tenemos características que pueden convertirse en desventajas para la gestión y el liderazgo. Especialmente si no están bien identificadas y manejadas por nosotras mismas. Justamente es para estas situaciones que es viable el *coaching* o el mentoreo, para identificar estos aspectos y mejorarlos, e incluso para revertirlos.

En este proceso de asimilar lo que aportamos a las mesas de decisiones, comprendí que si las mujeres no aprendemos a manejar nuestra sensibilidad podemos transformarla en emocionalidad, y esto puede afectar el proceso de toma de decisiones. Lo mismo ocurre con la capacidad de multifunción, que puede minarse y pasar a ser dispersión; además, considero que es una falacia que podemos hacer todo y al mismo tiempo.

Por otro lado, si no controlamos nuestra pasión, podemos frustrarnos rápidamente. Podemos transformar la contención en falta de objetividad y el "hacernos cargo" de nuestros proyectos puede convertirse en una personalización que no los favorezca y en un "maternalismo" que dificulte el crecimiento. En fin, el mal uso y/o abuso de algunas características positivas de las mujeres puede transformarse en nuestras propias desventajas. Podemos pasar sin darnos cuenta a ser nuestras propias enemigas o boicoteadoras.

Sin embargo, bien utilizadas, estas competencias distintivas están generando efectivamente un tipo de liderazgo más participativo, más humano e íntegro. Un tipo de liderazgo que las personas están reclamando y que las organizaciones están necesitando. Por ejemplo, estudios recientes en América Latina muestran que entre lo más importante que los empleados esperan de sus líderes está el respeto, que se manifiesta en la lealtad y en hacerlos parte de un proyecto. Esperan, además, que se les ofrezca seguridad y protección. Todas ellas características que el liderazgo femenino puede aportar más fácil y naturalmente.

Podríamos decir entonces que el liderazgo femenino suele ser afiliativo y democrático, mientras que los hombres adoptan un estilo más de comando y control. Pero el liderazgo efectivo, el liderazgo del futuro, no proviene de un único patrón...

Más bien, la clave está en la complementariedad entre el varón y la mujer.

Me parece fundamental reconocer y celebrar nuestras características distintivas, pues justamente la autoestima y la confianza no son nuestro fuerte.

Por otro lado, creo necesario hacer un par de observaciones para matizar esta cuestión de lo "innato" y lo "distintivo". Creo que tenemos que estar atentas a no caer en la limitación de las construcciones culturales. Por ejemplo, que a las mujeres nos gusta jugar con muñecas y quedarnos adentro jugando a tomar el té y a preparar "arroz con leche". O que los hombres no son sensibles o que no lloran. Las invito a que cada una empiece a explorar cuáles son verdaderamente sus dones innatos y a diferenciarse de esos otros aspectos que pueden ser parte de una construcción cultural. El segundo aspecto que quisiera remarcar es que no podemos quedarnos ancladas en este debate, en estos puntos sobre nuestras diferencias. Debemos abrazar la complementariedad y la diversidad. Justamente son nuestros opuestos los que nos hacen complementarios. Es desde la admiración de nuestras diferencias de mirada y genio, que nos nutrimos y evolucionamos. Aprendiendo los unos de los otros.

Hay varones que tienen desarrollada parte de estas características femeninas y hay mujeres que tienen desarrolladas características más relacionadas con los hombres. Tenemos que darnos la oportunidad de liderar juntos para aprender los unos de los otros, para complementarnos.

Imagínense cuánta sabiduría la de un líder, hombre o mujer, que gestione con las mejores cualidades de cada uno. El desafío de todos los líderes es desarrollar todas esas características, las "blandas" o las "duras", las que necesite cultivar.

Y sostengo que la mejor manera, la más rápida y sustentable, es trabajar juntos, mentoreándonos mutuamente. Cuando instintivamente surja el silencio para los hombres, que la mujer acerque el diálogo; cuando surja la emocionalidad, que emerja la racionalidad; cuando surja autoritarismo, que emerja el trabajo en equipo; cuando haya dispersión, que nos ilumine la concentración.

Personalmente, lo que más admiro de la gestión de los hombres y me impulsa a seguir fortaleciéndolo en mí, es su capacidad de confiar en ellos mismos, de decir las cosas directamente, sin matices, y de hacerse valer. Es como si su lema fuera: ¡Yo valgo! ¡No trabajo gratis! ¡Show me the money! (¡Muéstrame el dinero!). Como la frase famosa de la película protagonizada por Tom Cruise, "Jerry McGuire".

Claramente tiene que existir una asunción de corresponsabilidades. Lidia Heller lo expresa así: El gran tema pendiente en la igual-

dad de sexos dentro de las empresas es la conciliación familia-trabajo. Y agrega: Hubo un mundo público tradicionalmente relacionado a los varones y un mundo privado asignado a las mujeres. Los roles reproductivos están divididos y esto da lugar a la división sexual del trabajo. No hemos resignado las tareas que tienen que ver con lo privado, pero les hemos agregado lo público. Si no hay una reasignación de roles, es muy difícil que se produzcan cambios significativos. Aun los hombres sin prejuicios aparentes los tienen. Parecería que las conquistas en el espacio profesional deben pagarse con sacrificios en el espacio doméstico, duplicando o triplicando en algunos casos la jornada laboral de las mujeres.

Las expectativas sociales imponen contradicciones, seductoras y moderadas, visibles e invisibles, estamos más expuestas a la mirada ajena: si somos femeninas, nos tildan de aprovecharnos de nuestro género, si somos duras nos tildan de mimetizarnos con los hombres y ser demasiado masculinas. Las que llegamos a posiciones altas es porque tuvimos que demostrar muchas más capacidades, pasamos por más pruebas e, incluso, hemos tenido que escuchar que, en realidad, accedimos a ese lugar por alguna razón non sancta.

A modo de disparador, para ayudarnos a reflexionar colectivamente y descubrir algunas de nuestras trabas internas, me gustaría compartir algunos de los "síndromes" que he descubierto en mí, en menor o mayor grado, y que fui elaborando por este camino de aprendizaje e intercambio con tantas mujeres interesantes y diversas.

Síndrome de inferioridad + "No lo merezco"

No creernos merecedoras de reconocimiento, y si lo hay, pensar que debe haber un error, o que todavía no descubrieron que es un *bluff* o que soy una impostora. "No valgo lo suficiente": pensar que no tenemos nada para brindar, autoexcluirnos del mercado laboral, de alternativas diversas o propuestas nuevas pensando en nuestra maternidad futura, cuestionándonos sobre quién nos querrá tener en su equipo si hace tanto tiempo solo me dedico a mi maternidad, etcétera, etcétera.

Síndrome de la mujer maravilla + "Nadie lo hace como yo"

¡Todo lo podemos! Y, es más, ¡queremos todo y lo queremos YA! Me recuerda a esa caricatura de Maitena:

"¿Qué quieren las mujeres? ¡TODO!".

- Realizarse profesionalmente y ganar dinero. "Pero haciendo algo recreativo, que me guste y no me estrese".
- Encontrar a un hombre que las quiera, las admire y las mantenga. "Pero que no me asfixie ni me domine".
- Lograr una pareja sólida, estable y duradera. "Pero sin perder la pasión ni caer en la rutina".
- Tener unos hijos encantadores que aseguren una vejez rodeada de nietos. "Pero por ahora no tengo tiempo de pensar en eso".
- Ser reconocidas por sus capacidades intelectuales. "Pero, además, ser linda, flaca y sin celulitis".
- Ser realistas, intransigentes, analíticas y lúdicas. "Pero felices".

Poniéndonos serias, por un lado parecería que no queremos ceder terreno. ¡Hacemos todo! Trabajamos, nos hacemos cargo de las tareas domésticas, buscamos y llevamos a los niños a sus actividades, corremos de acá para allá sin parar, llamamos a casa para ver cómo andan las cosas, si comieron, si necesitan algo... Las que tenemos suerte, vamos al gimnasio e incorporamos actividades personales en la agenda, o si no, nos angustiamos pues no tenemos tiempo para dedicarnos a nosotras mismas. Pero, en definitiva, nos hacemos cargo de todo. Todo sobre nuestras espaldas. ¿Será una necesidad nuestra de controlar? ¿O de los otros hacia nosotras? ¿Nos cuesta delegar? No sé...

Por otro lado, no queremos hacernos cargo de que es imposible hacer todo. No somos mujeres maravilla, y está muy bien que así sea. Cada vez que uno elige algo, hay miles de otras cosas que deja de hacer... y tenemos que hacernos cargo de nuestras elecciones y prioridades. Sean las que fueren.

Lo que sí puedo decir es que, según mi experiencia y la de muchas otras mujeres, no cedemos espacio. (¡Es que nos costó tanto sacrificio conseguirlo!) Algunas porque no nos damos cuenta de que podemos pedir ayuda, otras porque no queremos delegarlo...

Lidia Heller, en su libro *Voces de mujeres,* nos advierte sobre los peligros de la sobreexigencia, de querer abarcarlo todo, lo que llama el síndrome de la "supermujer": (...) Tenemos muy incorporado este tema de ser la reina del hogar, de no querer delegar, de que "nadie lo va a hacer como yo". *Tenemos que ser modelo de percepción en lo físico, ser la súper madre, que tu hogar esté impecable, ser la ejecutiva ideal y la amante perfecta. Todo no se puede, y esto a veces, paraliza. Sí se puede ir delegando y priorizando en distintas etapas de la vida.*

Recuerdo una oportunidad en la que estaba, como de costumbre, tapada de reuniones y de actividades y me sentía atormentada corriendo de un lado a otro para poder cumplir con todo. Además tenía que llevar a uno de mis hijos al dentista, que lógicamente quedaba cerca de casa, pero yo estaba a treinta kilómetros, con un tránsito que los hacía parecer ciento cincuenta. En ese momento de angustia decido llamar a mi marido, como último recurso disponible, y casi al borde de la impotencia y las lágrimas, le pregunto: *¿Podrías llevar a Bautista al dentista, que no llego?* *Sí, claro,* fue la respuesta, en un tono tranquilo, hasta diría feliz, esperando que se lo pidiera... Me quedé boquiabierta, no solo porque había solucionado un tema sacándome un peso de encima, sino porque se me había abierto un mundo entero de posibilidades. Nunca se me había ocurrido que podía considerar a mi marido para compartir las citas de rutina y los quehaceres de los chicos. A partir de ese momento, nada fue igual.

Una de las cosas que fui descubriendo a medida que compartía y delegaba más las cuestiones de los chicos en Martín es que, a veces, no me gustaba cómo las hacía. Y me quejaba. Y lógicamente, la respuesta del otro lado era bien sencilla y práctica: *Si no te gusta como lo hago, hacelo vos.*

Empecé a observarme. Tenía que aceptar que si delegaba algo en él, no tenía que ser a mi modo, sino que su impronta y su manera eran tanto o más aceptables que la mía. Estoy hablando desde cómo resolvía la cena con un *delivery* de comida "chatarra", en medio de la semana (cosa que yo jamás hubiese hecho. ¡Ni llegando a cualquier hora a casa y agotada sería capaz de pedir un *delivery*!), hasta cómo en vez de llegar cinco o diez minutos antes al cumpleaños para retirar a los chicos, llegaba cinco o diez minutos después, porque en vez de bañarse antes de comer se bañan después de la cena.

En fin... pequeñeces que una tiene que empezar a soltar, flexibilizarse y compartir con el padre de los chicos... Después de todo, tenemos la patria potestad compartida, ¿verdad?

A mí me gusta pensar que atrás de toda mujer profesional hay un hombre, una pareja, un compañero, abierto, deseoso por colaborar en los quehaceres domésticos, esperando a que lo invitemos o le expliquemos lo valioso de hacerse cargo de ese lugar, que también le corresponde y que tanto disfrutará. (A veces puede no disfrutarlo, igual que nosotras, que tampoco lo disfrutamos siempre completamente.

) Ellos también son de una generación de transición que se está replanteando esas enseñanzas culturales, estereotipos... y están deseosos (quizás inconscientemente) de que les dejemos espacios para colaborar.

Síndrome de mujeres machistas + Falta de modelos / referentes

A veces, somos nosotras mismas las que nos sorprendemos con pensamientos, abordajes de temas y posturas machistas. No podemos negarlo: fuimos educadas, criadas bajo una clara y marcada cultura patriarcal. No tenemos la culpa.

Quizá nuestras abuelas no trabajaban, quizá nuestras madres tampoco... Los modelos y referentes que tenemos son pocos, no abundan y, a veces, los que encontramos por el camino son cuestionables.

Ser conscientes de ello nos facilitará la "re-visión" de esas creencias, imágenes, estereotipos que consideramos válidos. Concedámonos la oportunidad de replantearnos esas premisas que están tan naturalizadas.

Síndrome de mujeres-mamás o futuras mamás

Aquí hay dos conceptos encubiertos. Al de futuras mamás ya me referí cuando mencioné la exclusión que sufrimos las mujeres en los espacios de liderazgo por la "posible" maternidad, o la autoexclusión a la que nos sometemos.

El otro concepto es el de mujeres-mamás, como si fuera una díada indiscutible. Como si fuera una obligación, un mandato que impone que la mujer, para ser plena, feliz, tiene que casarse, conformar una familia y entregarse a la maternidad, y si no, sentir el rigor de las propias mujeres, expresado en sus caras de desaprobación. Que las mujeres nos sintamos culpables por no conformar una pareja, o por querer una pareja no convencional, o lo que es peor, por no ser madres, por no poder o no querer serlo, me parece que es algo que tenemos que repensar. Todo ser humano decide qué es lo que quiere y no quiere para su vida, así como cada uno tiene sus propias circunstancias.

El tener hijos y conformar una pareja, una familia, entra dentro de la esfera íntima de cada persona. Y sean cuales fueren las decisiones de una persona, son respetables. Me gustaría destacar, con respecto al instinto maternal, que lo entiendo como un impulso creativo que no se agota en la acción de tener hijos.

Dicho esto, lo que quisiera enfatizar es que, si bien es cierto que uno de los grandes temas de las mujeres es la conciliación del trabajo con su maternidad y su familia, no es el único tema y no debe ser el centro de todos los debates sino incluir a aquellas mujeres que no tienen hijos, pareja, familia. La conciliación del trabajo con los hijos es tan válida como con otras necesidades. Sean estas salir a correr, hacer yoga o lo que fuere. El cultivarse, cuidarse a sí mismo o y/o dedicarse al hobby que uno desee debería ser parte del debate sobre la conciliación.

Asimismo, me gustaría llamar la atención una vez más acerca de que las decisiones que tomemos a lo largo de nuestra vida partan de una conciencia real. Me refiero a haber analizado el tema sin ataduras a mandatos, o deseos de otros. Decisiones que salgan desde el conocimiento de nuestro ser interior, sin ningún tipo de intermediarios. Por ejemplo, a mí me pasó que estaba tan imbuida en mi súper rol de mujer profesional que no entraba en mi cabeza y mucho menos en mi agenda la idea de tener hijos, y en realidad, era que no estaba siendo sincera conmigo misma. Sí quería ser madre, sí quería formar una familia, pero también lo percibía como incompatible con mi desarrollo profesional.

Otro punto no menor, con un costo muy alto, se debe a la fuerte presión de tener que demostrar que somos buenas, que valemos la pena; nos vemos absorbidas intensamente por la vorágine profesional y cuando nos acordamos o nos reconciliamos con la idea de tener hijos, ya es demasiado tarde. La naturaleza manda. Sé que estoy lejos de haber agotado todos los síndromes que pudieran existir y más lejos todavía de poder enumerar sus antídotos.

Pero después de la investigación realizada, desde mi trabajo, desde haber hablado con miles de mujeres y haber entrevistado a cientos para este libro, puedo afirmar que es mediante el desarrollo y la inversión en el liderazgo de las mujeres y niñas que lograremos avanzar en nuestras comunidades, organizaciones y países. Desde este lugar es que podremos desarrollar el liderazgo potencial individual, que comienza reconociendo nuestro propio poder interior y la posibilidad de ayudarnos las unas a las otras. En definitiva, los cambios, siempre comienzan con uno mismo... Aquí empezaba a asomarse la idea de empezar a pensarnos en términos de desarrollo personal, de trabajo introspectivo, al que me referiré más adelante.

Aun cuando las mujeres podemos aportar a un nuevo liderazgo y la consultora Catlyst[10] indica que las empresas de Estados Unidos que tienen tres o más mujeres en su Consejo de Dirección reportan resultados un 45% mayores que aquellas con menos de tres mujeres, los números nos dicen que las mujeres no llegan a niveles ejecutivos y no están presentes en posiciones que tienen responsabilidad directa sobre los resultados del negocio. Las empresas siguen sin tener la capacidad de atraer, promocionar y retener a las mujeres que tienen tanto para aportarles.

Y lo mismo podemos afirmar respecto de su liderazgo en el Estado y en la sociedad civil.

---

[10] Catlyst: Consultora sobre Mujer y Liderazgo, USA.

En Argentina, solo el 1,3% de las mujeres alcanza posiciones de alta gerencia. Esta cifra habla por sí sola. Lo confirma el estudio realizado por ELA[11] con el objetivo de construir un **Índice de Participación de las Mujeres en Argentina** (IPM). El IPM indica que nuestro país presenta un estado crítico en términos de equidad de género: *De cada diez puestos de máxima autoridad relevados en el campo de la política, la economía, la sociedad civil, la cultura, la ciencia y los medios de comunicación, menos de dos son ocupados por mujeres.*

Existen varios desafíos en cada uno de esos campos y son estos los que debemos fijar en las agendas orientadas a asegurar la participación de las mujeres, atendiendo a sus demandas y haciendo efectivos sus derechos.

Creo en el valor transformador de la participación de la mujer dentro de la sociedad. Somos agentes de cambio. Así como también considero que cuando la mujer elige ser madre, su rol es clave. Criar hombres y mujeres de bien, seguros, con autoestima, con valores, es estratégico para una sociedad de paz y prosperidad.

La etapa de la maternidad no es suficientemente tenida en cuenta en el ámbito público y en el económico. No hay políticas suficientes para la inclusión y el desarrollo femenino, que tengan en cuenta las necesidades que genera la maternidad. Tal vez sería más correcto hablar de *parentalidad.* Pues tampoco es tenida en cuenta la posibilidad de un rol más activo del padre en el proceso de formar una familia y de criar a los hijos.

El camino a recorrer aún es largo y abarca muchos aspectos de la vida y del desarrollo, especialmente de las mujeres. Y creo

---

[11] ELA-Equipo Latinoamericano de Justicia y Género. Es una organización independiente y sin fines de lucro dedicada a la producción de conocimiento en el campo de la justicia y de las políticas públicas, para promover la equidad de género. El estudio al cual nos referimos es *Sexo y poder. ¿Quién manda en la Argentina?*

que somos nosotras las que podemos llevar estas prioridades a las agendas públicas y de las empresas, tanto sociales como comerciales e industriales. Es más, creo que somos nosotras las que debemos redactar y firmar los cambios que sean necesarios. Las empresas y organizaciones en general también tienen que asumir parte de su responsabilidad en este asunto, que implica el cuidado de los niños, los enfermos y los ancianos, entre otros temas. Después de todo, también son sus niños, sus enfermos y sus ancianos. Y hay mucho espacio para que se desarrollen en ese aspecto.

Por ejemplo, desde el espacio de la responsabilidad social corporativa, empresaria y/o desde el punto de vista de la diversidad o de la corresponsabilidad, es necesario reflexionar acerca de lo que deben hacer las empresas y organizaciones en general para facilitar y propiciar el cambio de paradigma que trae de la mano la cada vez mayor participación de las mujeres en la fuerza laboral y en la vida pública.

Promover la flexibilidad horaria, trabajar desde el hogar apoyándose en la era tecnológica, jornadas de tiempo parcial, protección especial a la maternidad y a la paternidad, ayuda a los familiares de la tercera edad, igualdad de oportunidades y capacitación, políticas de inclusión de las minorías, fomento de programas de diversidad, así como programas específicos de *coaching* y *mentoring*, son algunos de los ejemplos. Se trata de asumir la corresponsabilidad que tienen en estos temas.

No es necesario ser una empresa de gran envergadura para aplicarlas. Infinidad de estudios revelan que empresas de mediano porte y pequeñas sin políticas específicas de inclusión y desarrollo femenino han incorporado el concepto de *women friendly* (empresas amigables para las mujeres), ya sea motivados por ser empresas manejadas por mujeres, o por dueños con hijas o esposas profesionales que son testigos de las dificultades que enfrentan en sus trabajos.

Una manera rápida y simple para detectar si estoy aportando mi granito de arena para lograr un mundo más justo desde el lugar que me toque, o si mi empresa u organización está haciendo algo para propiciar el liderazgo femenino, es preguntarse: ¿Estoy siendo amigable con la temática de las mujeres? ¿Mi empresa u organización es women friendly? ¿Es sensible a las temáticas de diversidad? ¿Es flexible? ¿Promueve la comunicación en todos los sentidos? ¿Existen políticas específicas para concientizar y/o prevenir la violencia de género? ¿Existen programas, beneficios y prácticas que fomentan el balance vida/profesión? ¿Hay mujeres en los espacios directivos? ¿Qué puedo hacer para facilitar el camino de otras mujeres?

En el 2010, apenas un año después de haber nacido Voces Vitales Argentina, el Banco Mundial solicitó nuestra colaboración para identificar los obstáculos que enfrentaban las empresarias argentinas, como parte de un estudio sobre mujeres empresarias en la región. Durante varias semanas preguntamos a nuestras Voces Vitales que integraban la Red cuáles eran los cinco obstáculos más importantes que debían enfrentar en su desempeño.

Hubo respuestas diversas y también similares. La constante discriminación de género apareció como el primer y gran obstáculo para nuestro desarrollo en el ámbito laboral. Esta discriminación se manifiesta de forma diferente al tratarse de mujeres que trabajan en relación de dependencia o como emprendedoras en sus propios proyectos.

Las trabas que sufren las mujeres que trabajan en empresas, independientemente del tamaño de estas, se manifiestan en general como poco acceso a puestos de primera línea, remuneraciones más bajas, menos oportunidades de empleo y sectores reservados a los hombres por considerarlos poco apropiados para las mujeres.

A estos obstáculos, las mujeres emprendedoras sumaron impedimentos de carácter coyuntural y legal en la Argentina: dificultades para el acceso al crédito, falta de leyes que incentiven y ayuden el desarrollo de las pymes, y falta de seguridad jurídica. A partir de esta situación, no es sorprendente que la mayoría de las mujeres consultadas coincidan en las dificultades para conciliar la vida laboral/profesional y personal, especialmente en la maternidad. Además de señalar los obstáculos, las mujeres aportaron estrategias que ayudarían a mejorar nuestro desarrollo laboral. Me parece muy importante comentarlas. Ellas son:

▪ Incluir a las mujeres en las discusiones del convenio colectivo de trabajo, para que sea posible que se introduzcan mejoras en las condiciones laborales.

▪ Romper el techo de cristal y potenciar la participación de las mujeres en las esferas de poder, aun a costa del mandato ancestral, especialmente en las empresas familiares.

▪ Lograr que las mujeres participen activamente en grupos empresarios donde la mayoría es masculina, para, poco a poco, lograr equidad de participación.

Es por todo esto que me parece muy importante que nosotras construyamos espacios e instancias en los que podamos darles visibilidad a nuestras ideas y empresas, vincularnos en una red que nos empodere y afiance el mutuo apoyo para empoderar, así, a las nuevas generaciones de líderes.

Sin duda, lo que necesitamos es sumar aliados. Con conciencia de nuestro poder y del poder colectivo que tenemos, podemos enfrentar la transformación que buscamos.

Del liderazgo transformador, consciente, comprometido, complementario, estaba arribando a entender que el liderazgo es puro empoderamiento, es multiplicador.

Capítulo 5
Empoderamiento de mujeres

▪ Hacia un liderazgo multiplicador

Si educas a un niño, formas a un hombre;
si educas a una niña, formas a toda la aldea.
Antiguo proverbio africano.

Estamos convencidos de que la potenciación del papel
de la mujer y la plena participación de la mujer
en condiciones de igualdad en todas las esferas de la sociedad,
incluidos la participación en los procesos de adopción
de decisiones y el acceso al poder, son fundamentales
para el logro de la igualdad, el desarrollo y la paz.
Punto 13, Anexo 1, Declaración de Beijing 1995[12].

Todos tenemos la oportunidad y la responsabilidad
de cumplir una función, no solamente para
levantar nuestras propias voces, sino para alentar
a los demás a que también lo hagan.
Melanne Verveer

El término empoderamiento proviene del inglés empowerment.

---

[12] La Plataforma de Acción de Naciones Unidas es un programa encaminado a crear condiciones necesarias para la potenciación del papel de la mujer en la sociedad. Tiene por objeto acelerar la aplicación de las Estrategias de Nairobi orientadas hacia el futuro para el adelanto de la mujer y eliminar todos los obstáculos que dificultan la participación activa de la mujer en todas las esferas de la vida pública y privada mediante una participación plena y en pie de igualdad en el proceso de adopción de decisiones en las esferas económica, social, cultural y política.

Según el diccionario de Oxford, *empowerment*, o su traducción empoderamiento, significa darle la autoridad o el poder a alguien para hacer algo. Es otorgarle a una persona la posibilidad de ser más fuerte, de tener mayor confianza especialmente en lo que concierne a tomar el control de su vida y hacer valer sus derechos. La Real Academia Española define *empoderamiento* como acción o efecto de empoderar, y empoderar, como hacer poderoso o fuerte a un individuo o grupo social desfavorecido.

Algunos consideran que la palabra *apoderamiento* hubiese sido una traducción más literal. Sin embargo, detrás de esta palabra hay un complejo proceso en desarrollo que, como tal, se ha ido modificando y completando y que, en español, se designa *empoderamiento*.

Ese proceso incluye la "capacitación para la emancipación". Se utilizó por primera vez en la IV Conferencia Mundial de Beijing, en 1995, para referirse al aumento de la participación de las mujeres en los procesos de toma de decisiones y acceso al poder. Sin embargo, actualmente hace referencia a otra dimensión que lo completa y profundiza: la toma de conciencia del poder que, individual y colectivamente, ostentan las mujeres y que tiene que ver con la recuperación de la propia dignidad como personas.

Ese fue el escenario de la histórica frase pronunciada por Hillary Clinton: **Los derechos de las mujeres son derechos humanos, y los derechos humanos son derechos de las mujeres.** Esta frase es muy conocida y valorada en los diversos movimientos feministas y también fue el título del discurso ofrecido por Hillary en esa ocasión. Un discurso que fue ovacionado de pie durante más de seis minutos.

Vital Voices Global Partnership es la organización que se dedica a ello desde 1997. La organización cree en el valor transformador de la mujer dentro de la sociedad, y por eso fortalece las capacidades, los vínculos y la credibilidad de las mujeres, para que su potencial sea un catalizador del progreso mundial. Que una organización dedique y celebre sus primeros veinte años "provocando" esos procesos, es decir, identificando, capacitando y facultando a las mujeres líderes emergentes y emprendedoras económicas y sociales de todo el mundo, impulsándolas a tomar un rol activo en los ámbitos en que se desempeñen para que su voz sea escuchada y sea posible crear un mundo mejor para todos, es algo realmente digno de celebrar fervientemente.

Justamente al momento de escribir esta sección la Plataforma de Acción de Beijing está cumpliendo veinte años, y es el disparador para generar cientos de análisis, estudios e investigaciones para revisar los cambios que tuvieron lugar desde ese entonces. Se ha avanzado, pero a paso lento. Aunque parezca increíble, todavía falta muchísimo por hacer.

Christine Lagarde, exministra francesa en diversas carteras económicas, entre ellas, Finanzas, Agricultura, Pesca y Comercio, primera mujer en convertirse en ministra de Finanzas de una economía G8 y primera mujer en ocupar el puesto de directora general del Fondo Monetario Internacional (FMI), se refería así a los veinte años de Beijing: *Educación, trabajo y liderazgo son las tres claves para el empoderamiento de las mujeres. En primer lugar, la educación, la enseñanza es la base sobre la que se construye el cambio. Gracias a la educación, las mujeres pueden ayudarse a ellas mismas y romper el yugo de la exclusión. El trabajo permite que las mujeres se realicen y alcancen su auténtico potencial, así como una mayor independencia económica. La tercera clave es el liderazgo, permitir que las mujeres mejoren su posición y se realicen según sus habilidades y talentos innatos.*

Cuando hablamos de empoderamiento, nos referimos a cómo las personas fortalecen sus capacidades, su confianza, su visión y su protagonismo como grupo social para impulsar cambios positivos en las situaciones que viven. Este proceso es una estrategia que propicia que las mujeres incrementemos nuestro poder y así tengamos las herramientas para influir y participar activamente en el cambio social.

El proceso de empoderamiento de la mujer abarca una esfera individual y una esfera colectiva, ya que ambas están estrechamente ligadas y se retroalimentan.

Elvira Sánchez Muliterno, feminista española y autora del libro *Mujer empoderada*, ha dicho que *una mujer empoderada es aquella que ha realizado el proceso de conocerse, de romper sus barreras internas y que se ha reconectado con su verdadera esencia. Como resultado de ese proceso ha surgido una nueva mujer, una mujer que se conoce, que vive desde su autenticidad, sin copiar los modelos de poder establecidos, y que vive su feminidad sin estereotiparla. En definitiva, una mujer empoderada es aquella que accede a su poder basándose en su verdadera esencia.*

Puedo afirmar desde mi propia experiencia que el proceso de empoderamiento que voy recorriendo me cambió y modificó profundamente muchos aspectos de mi vida. Transformó mi apreciación sobre mi misión, mi propio quehacer e incluso mi propio negocio. Después de veinte años de dedicarme de lleno a la comunicación corporativa, me transformé además en una emprendedora social.

Decidí que todos mis proyectos de ahora en más, tanto sociales como empresariales, estarían ciento por ciento enfocados a mi fuerza impulsora. Esa fuerza que me hace levantar todas las mañanas y encarar mi trabajo con una energía y unas ganas arrolladoras. Mi fuerza interior, mi propia voz es transmitir el poder del liderazgo femenino, del mentoreo, así como el desarrollo de redes (*networking*), y ayudar a otras mujeres a desarrollar y llevar al máximo su potencial de liderazgo.

Actualmente, ocupo la presidencia honoraria de Voces Vitales Argentina, integro la Comisión Ejecutiva y estoy desarrollando la comunidad de Vital *Voices* en la ciudad de Miami. Mi trabajo aquí no solo surgió como forma de *pay it forward*, la devolución por todo lo que había adquirido y vivido, sino como una convicción real de querer compartir, transformar las vidas de otras mujeres, del mismo modo que se transformaba la mía.

Y no soy la única que avanza en esta dirección. Muy pronto cumpliremos diez años de estar trabajando muy fuertemente en nuestro país, en el cual hemos impactado en unas diez mil mujeres a través de programas de mentoreo y capacitación.

Este lugar y este sentirme de esta manera tienen un recorrido, una historia muy ligada a la apertura del capítulo argentino de Voces Vitales. Muy ligada al desafío que me propuse y acepté enfrentar poco después de haber completado mi propio proceso de mentoreo en los Estados Unidos.

Se ha dicho y repetido que este siglo corresponde a las mujeres. Cada vez más se acepta que la voz de la mujer debe ser escuchada y tenida en cuenta en cualquier ámbito de decisión. No hay duda de ello.

El proceso por el cual atraviesa toda mujer en la búsqueda de esa voz, que "proviene de su verdadera esencia", es muy importante e implica comprender el fenómeno de empoderamiento de una manera integral. Tal como ocurrió conmigo misma.

En Voces Vitales Argentina asumimos la misión de fortalecer el liderazgo de las mujeres de nuestro país para impulsar el crecimiento de sus comunidades. Lo hacemos mediante diversos programas de capacitación, empoderamiento y mentoreo.

Nuestra tarea es identificar, capacitar y fortalecer a jóvenes líderes emergentes en las áreas política, social y económica.

En el cumplimiento de esta misión, hemos ido nucleando a un enorme espectro de mujeres líderes de nuestra sociedad y, a su vez, estas mujeres han encontrado un espacio común donde intercambiar información, reconocimientos y experiencias, fortalecer sus capacidades y transmitir su experiencia a las nuevas generaciones. Luego de la aventura (e intenso trabajo) que implicó abrir el capítulo en Argentina, fortalecidas con la aceptación que tenía la propuesta y sorprendidas por el rápido crecimiento en nuestra comunidad, encaramos el año 2009 trabajando fuertemente para identificar, capacitar y fortalecer a mujeres jóvenes que estuviesen liderando acciones, que tuviesen pasión y visión para el cambio que necesitamos, que hubiesen impactado en su entorno y que tuviesen potencial de crecimiento.

Una vez identificadas, invertimos en sus capacidades de liderazgo a través de diversos programas de capacitación y mentoreo, con el objetivo de proveer a quienes consideramos la nueva generación de líderes de nuestro país conexiones, habilidades, visibilidad y credibilidad.

Ellas, a su vez, se convierten en líderes capaces de devolver a su comunidad lo aprendido, desarrollando programas de entrenamiento y nuevas iniciativas, inspirando y trabajando con otras mujeres. De este modo lanzamos un círculo virtuoso sin fin.

Somos parte del potencial cambio de nuestra sociedad. Sin duda, este modelo de empoderamiento femenino es sumamente efectivo pero, sobre todo, simple, y a la vez poderoso, generoso, inspirador y multiplicador. Y, como todo, tiene una historia.

■

Modelo de liderazgo multiplicador

La historia de este modelo está ligada al trabajo que **Vital Voices Global Partnership** venía realizando con las mujeres de diversas comunidades y culturas. Un trabajo que pronto planteó la necesidad de generar la sistematización de las experiencias. Fue en un encuentro con los representantes de los distintos países en los que trabaja.

A principios del año 2011, Vital Voices Global nos convocó a unas jornadas de trabajo en Washington DC, para revisar, discutir y acordar los mensajes centrales que vehiculizan la misión de la organización. Llegamos desde diferentes partes del mundo para reflexionar sobre el gran crecimiento de la organización, en todos sus capítulos. Una feliz preocupación que nos hizo profundizar en la tarea que Vital Voices estaba llevando a cabo. Y en cómo lo hacía.

El resultado de este encuentro fue un "modelo de liderazgo" que, desde entonces, nos inspira y dirige el proceso de empoderamiento de las mujeres con las que trabajamos.

En principio, establecimos un tipo de liderazgo que diferenciamos del tradicional y lo llamamos "efectivo". El liderazgo efectivo es un medio para el cambio transformador de la sociedad.

El mensaje central del liderazgo femenino efectivo se ilustra mediante un modelo que tiene seis características. Cada una de ellas describe un rasgo o cualidad del liderazgo. En su construcción, se han utilizado estudios y perfiles basados en destacadas mujeres líderes con quienes **Vital Voices** trabaja y ha trabajado a lo largo de estos años.

Se trata de un estilo de liderazgo ejercido por personas que utilizan sus capacidades, su credibilidad y sus conexiones para empoderar a otros, para beneficiar a su comunidad y para influir en el cambio social.

La primera de las seis características se sintetiza en la frase: **Encontrar la propia voz, vivir la propia verdad.** Los líderes efectivos están motivados por valores centrales y su compromiso no merma. Quienes están destinadas a liderar saben que el ímpetu de su liderazgo está profundamente arraigado en ellas, ya sea como sentido de la ética y responsabilidad o como una experiencia única. Las mujeres líderes, como, por ejemplo, la primera mujer en la historia candidata a la presidencia de EE.UU, Hillary Clinton, o la Premio Nobel de la Paz y líder prodemocrática Aung San Suu Kyi[13], demuestran una constante fortaleza, una convicción en la cual la preservación de sus valores y su integridad son supremas, nunca se negocian, aun en situaciones de gran riesgo o adversidad.

Cuando estas líderes reconocen y actualizan su liderazgo, están experimentando, una vez más, los valores centrales en los cuales se apoya su identidad. Estos valores son su propia voz, su propia verdad.

La segunda característica del modelo se enuncia así: **Liderar con propósitos, inspirar con acciones.** El liderazgo transformador se extiende más allá de las ambiciones de un individuo. Los verdaderos líderes comprenden que sus decisiones, visión e impacto tienen potenciales implicancias a nivel nacional y global; esto los conduce y los hace humildes.

En general, un sueño o visión da propósito a su liderazgo, y su capacidad para comunicar esta visión a quienes los apoyan es crítica para su éxito. Una característica saliente de estas personas es, justamente, el apoyar su propuesta en acciones concretas que invitan a los otros a actuar brindándoles la oportunidad de experimentar en la práctica el valor del trabajo con objetivos compartidos.

La tercera característica: **Cruzar las líneas que dividen: las mujeres realizando conexiones y colaborando.** El liderazgo

---

[13] Aung San Suu Kyi nació en Birmania, en 1945. Es una política activista, figura emblemática de la oposición birmana contra la dictadura militar que ocupó el poder entre 1962 y 2011. Vivió arrestada, desde 2003 hasta el 2010, sin poder ver a su marido, que murió en ese período, ni a sus hijos. En el año 2012 resultó elegida representante en el Parlamento birmano. En 1991 le fue concedido el Premio Nobel de la Paz pero la Junta Militar birmana no la dejó salir del país y tuvo que esperar a junio de 2012 para poder recogerlo.

efectivo comprende que el cambio positivo y duradero no es posible sin tener en cuenta a aquellos con los que no se está de acuerdo. Los líderes son agentes de unión. Ellas desarrollan formas creativas para aliviar tensiones y lograr acuerdos sin comprometer sus valores centrales. Es especialmente importante, en las situaciones de conflicto, identificar las líneas que dividen para poder superarlas. Y construir coaliciones políticas, étnicas, religiosas, generacionales y socioeconómicas superadoras de las divisiones que se puedan haber creado.

La forma es mediante la identificación de aquello que tenemos en común, construyendo redes a nivel local, nacional y global.

La cuarta característica es: **Ser la voz que va contra la adversidad.** Las líderes no dudan en hacer oír su voz ante la oposición, en defensa de los valores o principios centrales que sustentan. Incluso a costa de su propia seguridad o reputación. El riesgo es necesario para el cambio transformador y los líderes no temen innovar y tomar el camino más arriesgado.

La quinta característica es: **Cadena de favores.** El liderazgo no es simplemente una oportunidad para realizar una cierta visión de progreso; es una responsabilidad para invertir en el liderazgo de otras mujeres, ya sean pares o que forman parte de una generación en crecimiento. Una líder tiene un sentido de previsión y humildad suficiente como para comprender que ella sola no puede lograr el cambio transformador.

Solamente mediante la contribución, a modo de devolución, por su éxito y visión, puede una líder asegurar que su ideal perdure en el tiempo más allá de su propia existencia.

Y la última característica: **El liderazgo no es el destino final.**

El liderazgo transformador no se caracteriza por un título, un nivel de recursos o estatus. Las líderes no esperan el reconocimiento o el agradecimiento de los demás para ejercer su liderazgo;

comprenden que no existe el momento perfecto para comenzar a trabajar: ellas trabajan. Estas líderes caminan con nosotras, muchas veces en el anonimato, lo que las hace aún más extraordinarias.

Cinco años después de ese primer encuentro, sigue tan vigente como entonces, y podemos resumirlo así:

- Fuerza impulsora: tu fuerza motora, tu voz interna, lo que te hace levantar cada mañana.

- Lazos fuertes con la comunidad: entender tu contexto y desarrollar relaciones auténticas.

- Habilidades para conectar: pensar en socios estratégicos impensados.

- Ideas y acciones inteligentes: la importancia de seguir innovando, desafiar el statu quo tomando riesgos calculados.

- Devolver a la comunidad: compartir la inversión que se hizo en uno e invertir en las próximas generaciones.

Este modelo no se agota aquí. Es solo un instrumento, una herramienta para facilitar el proceso de autodescubrimiento del propio liderazgo. Cada uno tiene su manera de liderar. Este es solo un disparador para facilitar la reflexión grupal y personal.

¿Con cuál de estas características te identificás? ¿Cuál de ellas creés que define tu propio estilo de liderazgo, cuál quisieras desarrollar en el futuro? ¿Agregarías características? ¿Cuáles? ¿Cuál es tu compromiso personal con el desarrollo de tu liderazgo? ¿Considerás que necesitás más capacitación en algún aspecto? ¿Necesitás desarrollar más contactos y/o generar alianzas con jugadores clave para ampliar tu marco de acción y credibilidad?

■

Sigamos pensando juntas...

Para lograr las transformaciones necesarias para un mundo de oportunidades para todos y de paz y prosperidad, como ya dijimos, necesitamos más mujeres en posiciones de liderazgo trabajando para que otras mujeres puedan acceder a nuevas y más oportunidades de desarrollo, para que sus opiniones sean escuchadas en los espacios de decisión, para que sus particularidades sean tenidas en cuenta al momento de diseñar puestos de trabajo. Este modelo, en el que la cooperación sustituye a la competencia, es superador. Básicamente, porque su punto de partida es el reconocimiento del propio valor. Si yo soy capaz de reconocer cuál es mi valor agregado, si tomo conciencia de que soy única y es único lo que puedo aportar, no necesito competir sino compartir.

Sonia Abadi, en su libro *Pensamiento en Red*, dice: *Cada uno de nosotros es único y original, pero solo los grandes artistas y los líderes naturales toman conciencia de esto tempranamente en la vida. Un líder en Red, además, es capaz de darse cuenta de que cada uno de los otros también lo es, y sabe que una parte esencial de su misión será ayudar a su gente a encontrar y valorar su propia originalidad para promoverla y potenciarla.*

Como venimos sosteniendo, las mujeres tenemos la oportunidad de convertirnos en las agentes de cambio que promuevan aquello que queremos ver reflejado en el mundo. Lo que hace un agente de cambio es liderar con inspiración y pasión. Un agente de cambio debe tender puentes entre diferentes públicos, sortear las líneas que dividen, avanzar a pesar de la adversidad y, por sobre todo, devolver y replicar, generar un círculo virtuoso...

El liderazgo no es un destino en sí mismo. No se trata de ser la número uno o de tener la oficina más grande, sino de trabajar con conciencia de género y, dentro de lo posible, influir en la consecución de políticas que propicien mejores condiciones para que las mujeres podamos desarrollarnos cada vez más en el marco de mejores condiciones. Debemos propiciar cambios. Ser líder es serlo para el cambio. Una alta ejecutiva de una empresa global basada en EE.UU. nos confiaba a un grupo reducido de mujeres:

Tenemos que sacarnos tanto peso de encima, esto de hacer todo. Hay que competir con una misma. Tratar de abstraerse de la competencia con el entorno, porque es agotador.

Sumergirse en un proceso de aprendizaje permanente. No solo desde la educación sino desde la experiencia.

Tomar riesgo, cuando te sentís en la zona de confort, irte de allí y pegar un salto. Esto no quiere decir que no se tomen conscientemente decisiones de poner un freno a la carrera en determinados momentos, como por ejemplo cuando querés formar una familia, y tus hijos son chicos. Mi recomendación es no irse del mercado laboral. Hablar con tu jefa que le vas a poner un freno, en el sentido de no querer más responsabilidades por ahora, pero no irse, pues los niños crecen rápido y se van independizando, y una tiene mucho para seguir dando en el ámbito del trabajo.

Estate conforme con tus decisiones. Son decisiones personales. Tomalas bien conscientemente. No des tantas explicaciones.

No solo hay que hacer las cosas formidablemente, o bien, sino que hay que trabajar para darle visibilidad a nuestro trabajo. Tienen que conocerte. Tenés que sobresalir.

Expandir tu red de contactos tanto interna como externamente. Ayudar a la nueva ola de líderes.

Ser líder es una forma de vivir, una manera de comportarse, no un lugar adonde llegar.

Hay que hacer las cosas bien, no necesariamente perfectas. Hay que tenerse confianza, incluso cuando te falte. Mostrate confiado. Hay que liberarse de la culpa. En todo sentido.

Hay que ser auténtica. Ser una misma…

Celebrar los logros. No esperar el final para celebrar pues puede ser demasiado tarde. Ir celebrando y disfrutando el camino, el proceso. Conciliá, mezclá, llevá tu familia al trabajo, que no sea una separación absoluta. Tomate tiempo personal para vos. En mi caso, me hago masajes. Es el mejor regalo que me pueden hacer. Mi lema es: "Si yo estoy bien, todos están bien". Mis colaboradores, mi familia. Recargo baterías. Energía. Si yo no estoy feliz, nadie está feliz.

Otro de los grandes retos que tenemos las mujeres es continuar cultivándonos a nosotras mismas, crecer personal y profesionalmente. Poder aceptar las oportunidades que se presentan, los desafíos, buscando siempre un balance, una armonía, una conciliación entre lo personal y lo laboral.

Nuestro propio cuidado y el de nuestro desarrollo personal es otra característica que deberíamos haber incluido en nuestro modelo. Esta reflexión es algo sobre lo cual estoy convencida y sigo trabajando y profundizando sobre este concepto.

Creo que no existe una evolución profesional sin un desarrollo personal que incluya nuestra espiritualidad, alimentando nuestras expresiones personales... Este es el gran desafío que debemos transitar: integrar todos los aspectos de nuestra vida bajo la dirección de algo superior a nosotros mismos y, a la vez, algo que defina nuestra vida.

Estoy convencida de que cuanto más integrada me siento, mejores son las decisiones que puedo tomar. Es en esa integración en la que es posible escuchar mi propia intuición, mi propia voz y la de mi fuerza interior. Debo asumir la responsabilidad de encontrar los espacios de silencio interior para que esto sea posible.

En palabras de Beth Brooke, vicepresidenta global de Ernst &

Young, en el cierre de nuestro encuentro en Buenos Aires: *Esta cumbre ha demostrado que las mujeres, en su búsqueda de liderazgo, solo necesitan mirar hacia su interior.*

Experiencias empoderadoras

Fue durante la cumbre mencionada anteriormente que experimenté en carne propia mi primer impulso "empoderador". En ese marco realizamos una serie de actividades, y una de ellas fue un cocktail exclusivo para mujeres líderes de diferentes sectores del país, nada más ni nada menos que en la residencia de la embajada norteamericana en Buenos Aires. En ese entonces el embajador era E. Anthony Wayne, con una trayectoria como diplomático de carrera desde 1975, un hombre muy ameno y simpatizante de la misión.

Estaba todo preparado. Un agasajo para trescientas mujeres. Un trabajo previo de identificación, selección e invitación para que no faltara ninguna mujer líder a la ocasión. Un catering delicioso, música ambiental, y los proveedores alistados para hacer de esta velada algo inolvidable. Y así lo fue, por lo menos para mí.

Llegó el momento de las palabras de apertura de la ceremonia. Estaban avisados y presentes cada uno de los oradores. El embajador, por supuesto, como anfitrión del evento; Melanne Verveer, cofundadora y entonces presidenta de Vital Voices Global, y Alyse Nelson, cofundadora y entonces directora operativa de la organización. Fue en ese momento que Alyse se me acercó y me dijo en forma jocosa, o por lo menos así lo pensé yo: *¿Estás preparada para dar tus palabras de bienvenida?*. Un halo de frío recorrió mi cuerpo. Pensé que era una broma, ¡no podía ser! ¡Claro que NO estaba preparada! Si yo solo estaba encargada de la logística y de la organización del evento. Al verme la cara de susto, agregó: *Esto* *no se trata de nosotros, se trata de ustedes, se trata de vos. Este es tu momento. Es tu oportunidad para contar tu experiencia, lo que has vivido con nosotros. En qué medida te transformó...* Fue en ese momento que incorporé conceptualmente las palabras "voz vital", "voces vitales". Entendí que era mi deber y mi responsabilidad no solo hablar por mí, sino por todas aquellas voces que no se animan o no pueden hacerlo. Nuestro momento empezaba a trazarse en nuestro país.

Tal como les comenté, mi nueva fuerza impulsora la fui develando a partir de esta experiencia transformadora, de andar este camino, esta aventura. Pero fue esta la primera vez que pude verbalizarlo de una manera intempestiva y espontánea. Otra experiencia "empoderadora" de la mano de Alyse. Me instó a pronunciarlo a viva voz frente a más de quinientas mujeres sin siquiera haberlo preparado. Fue una experiencia reveladora.

Era a principios del 2012. Estábamos en la República de El Salvador, hermoso país al que visitaba por primera vez, acompañando el capítulo de allí en su primer foro de mujeres corporativas. Había tenido el honor de ser invitada, como oradora internacional, a dirigir unas palabras sobre mis aprendizajes a partir del programa de mentoreo y del desarrollo del capítulo en Argentina. Tenía preparado mi discurso, había pensado y repensado los puntos que quería transmitir. Estaba satisfecha con el resultado. Pero siempre hay algo que a uno se le escapa...

Alyse estaba en el podio presentando el modelo de liderazgo de Vital Voices con elocuencia, transparencia y convicción absolutamente inspiradoras. Justamente para abrir el juego y presentar los seis atributos centrales del liderazgo, mencionó que su propia verdad, su propia voz, su fuerza impulsora, **es buscar poder para empoderar a otras mujeres**. Después de anunciar su propio *driving force* decidió interactuar con el público y lo preguntó abiertamente, para luego dirigirse a mí: *María, por favor, cuéntanos, ¿cuál es tu fuerza impulsora, qué es aquello que te motiva verdaderamente, aquello que estás convencida de que es lo que tienes que hacer y te genera una energía, una fuerza incapaz de contener?*

Otra vez, sentí cómo se me congelaba el cuerpo... no sé de dónde saqué las fuerzas para levantarme de la silla, girar hacia el auditorio y enunciar por primera vez y a viva voz en presencia de tantas mujeres desconocidas, desde lo más profundo de mis entrañas, qué era lo que para mí tenía sentido y me movilizaba para hacer todos los días, y eso es: **Comunicar el poder del liderazgo femenino e instarlas a desarrollar su propio potencial de liderazgo.**

Otro momento sumamente "empoderador" fue cuando, por un ratito, ¡me convertí en una de las mujeres más poderosas del mundo! Fui invitada a participar de la 13ª edición del Most Powerful Women Summit, una reunión anual que convoca a las mujeres más poderosas del mundo. Se accede únicamente por invitación, y las participantes son mujeres provenientes del ámbito económico, político y social mayoritariamente de EE.UU., pero de otras partes del mundo también. Esta edición se realizó en Laguna Niguel (California, Estados Unidos). Un lugar paradisíaco en el que jamás hubiese reparado de no haber sido por esta invitación.

Todo el evento revestía gran magnitud, empezando por el hotel cinco estrellas sobre el océano Pacífico con vistas panorámicas en todas las habitaciones y salones.

Su formato era muy ameno, no había discursos sino paneles y entrevistas en vivo, prácticamente un set de televisión transcurriendo frente a tus ojos. Conversaciones grupales y sesiones interactivas. La premisa era poner sobre la mesa las cuestiones que las mujeres más poderosas del mundo se plantean, proponen, preguntan, definen. Intercambiar ideas, hacer amistades, alianzas y, sin duda, volver sumamente inspirada y con valiosas conexiones, eran parte de la agenda.

Haber podido compartir el mismo espacio y haberme nutrido de mujeres como las CEO y ejecutivas de PepsiCo, Indra Nooyi, Ellen Kullman de DuPont, Sheryl Sandberg de Facebook, Charlene Begley de GE, Ginni Rometty de IBM, Susan Chambers de Walmart, Marissa Mayer y Susan Wojcicki de Google, Sheri McCoy de Johnson & Johnson, Melanie Healey de P&G, y otras mujeres extraordinarias como la embajadora de Asuntos Globales de la Mujer del gobierno de Barack Obama, Melanne Verveer; la archiconocida actriz Glenn Close o Barbara Bush Jr., y también el multimillonario Warren Buffett. Fue realmente un privilegio que superó ampliamente mis expectativas. No solo me resultó inspirador, sino, aleccionador y revolucionario.

Esa ocasión fue el escenario en el que recibí, en representación de mi organización, el premio Global Women Leaders Award 2011, Goldman Sachs & Fortune, de manos de Lloyd Blankfein, CEO de Goldman Sacks. Fuimos reconocidas por la labor, la dedicación y el arduo trabajo que estábamos –y seguimos– realizando en el establecimiento del capítulo argentino de Voces Vitales.

Nada de esto hubiese pasado sin la confianza que esta organización depositó en mí y en cada una de nosotras. Me tomó de la mano, me animó a apropiarme de mi poder, a encontrar un propósito; invirtió en mis capacidades de liderazgo, me conectó con otras y otros, y eso es exactamente lo que hacemos nosotras ahora, desde nuestra organización y en todos los ámbitos en los que nos desarrollamos.

Viene a mi memoria un chiste que considero empoderador, por lo que lo recuerdo y lo comparto cada vez que lo considero oportuno:

En una cena, Michelle Obama se encontró con un exnovio.

Él era uno de los cocineros de la fiesta.

Barack Obama no se pudo contener y dijo:
"Si te hubieses casado con él, probablemente serías una cocinera".
Ella muy rápidamente respondió:
"No, querido, ¡él sería el presidente!".

Redes de mujeres y networking

He convertido en un principio rector una frase de Alyse Nelson, que me resulta sumamente inspiradora: *El poder se expande en la medida en que lo compartimos.* Y trabajar en redes es compartir. Parece una paradoja, ¿verdad? No lo es. Puedo afirmarlo por mi propia experiencia y por mi crecimiento. Y una vez más las invito a practicarlo para sus propios recorridos y crecimiento.

Una de las herramientas poderosas para lograr el empoderamiento son la conformación de redes de mujeres y el *networking*. De aquí la importancia de desarrollar y armar redes de relaciones. Entretejer una trama entre nosotras. El *networking* es el arte de desarrollar y mantener una red de contactos que producen un beneficio recíproco. Estos contactos son el capital social del cual disponemos, o sea, el valor que un individuo obtiene de los recursos accesibles a través de sus redes sociales.

Todos los expertos coinciden en que las personas que llegan a los ámbitos de poder son producto de las relaciones que van cosechando a lo largo de la vida y de su carrera profesional.

Uno de los obstáculos que algunas de las mujeres que consultamos para el estudio del Banco Mundial mencionaron como recurrentes fue, justamente, la falta de dedicación a generar y propiciar espacios para establecer nuevos vínculos, para conectarse con otros, para explorar posibles alianzas, para aprender a manejar y administrar sus relaciones.

Algunas personas tienen ese don innato, otras no. Pero sin duda, debemos incorporar esta tarea a nuestra agenda diaria de actividades. Debemos desarrollar esa habilidad.

Recuerdo que una vez escribí una columna titulada "Nunca comas sola", inspirada en un libro homónimo que había leído. Para esa ocasión me puse a investigar sobre el tema, y los tips más interesantes resultaron: participar en alguna organización, institución, cámara de interés; no desestimar las invitaciones a eventos; proponerse almorzar o desayunar una vez por semana con algún cliente o proveedor; llamar a algún contacto que hacía mucho no veías, y contarle lo que estás haciendo o proyectando. Y si te interesa alguna persona en particular pero no encontrás la forma de llegar a ella, intentalo de todos modos.

En las capacitaciones que incluimos en nuestro programa de mentoreo, siempre tiene un lugar el tema "redes", el *networking*.

En mis experiencias de contacto con mujeres de otros países me impresionó el espacio que se le da a la promoción de uno mismo: algo que, en nuestra cultura, puede resultar egocéntrico o ser visto como falta de humildad. Lo cierto es que he aprendido a ver este aspecto de nuestro trabajo de otra manera: como un compartir con las demás las construcciones que una misma ha realizado sobre su propia experiencia.

Patricia López Aufranc[14], frecuente capacitadora en los mentoreos,

---

[14] Patricia Lopez Aufranc es socia de Marval, O'Farrell & Mairal desde 1987 y se especializa en Derecho Empresario, Derecho Financiero y Comercio Internacional. Abogada egresada de la Facultad de Derecho y Ciencias Sociales de la Universidad de Buenos Aires en el año 1975. Asimismo, obtuvo un Diploma Superior de la Universidad de París II (Panthéon) en Derecho Empresario en 1977 y un Master in Law (LL.M.) otorgado por la Universidad de Harvard en 1985. Ha publicado artículos en el país y en el extranjero y ha disertado en foros nacionales e internacionales sobre temas relacionados con su área de práctica.

alienta a las jóvenes a la creación de una "marca personal".

La creación de una marca personal debe incluir: la reflexión acerca de cómo quiero "ser" y cómo quiero ser "vista"; la decisión de trabajar bien, esforzarse, distinguirse de los demás; el saber crear la demanda para el servicio/producto que uno realiza, ser confiable y tener capacidad de conexión.

Estas competencias van teniendo mayor importancia a medida que uno avanza en su carrera, junto a las competencias propias de la profesión de cada uno.

Sin embargo, aclara:

Trabajar bien y mucho no es garantía de éxito. El éxito también depende de la forma en que uno se relaciona con los demás y de la posición que uno ocupa en el conjunto de sus relaciones. Cómo uno forma equipos exitosos: mentores, amigos, familia, colegas. Debemos animarnos a formar nuestros propios equipos de promoción.

La calidad de los contactos y la forma en que se usan, y no la cantidad, es lo importante. En las redes debemos dar. Debemos aprender a colaborar. Armar lazos de confianza. Tener credibilidad. Esforzarnos por encontrar oportunidades para ayudar a otros y compartir sus conocimientos (cuanto más uno haga por los demás, más dispuestos estarán los otros a ayudarlo a uno). Es importante construirse una reputación de ser serviciales (helpful). Esta es una regla de oro.

Es importante desarrollar la capacidad de compartir actividades que reúnan a un conjunto de individuos diferentes en torno a un punto común de interés. Identificar actividades compartidas como una manera de ampliar las propias redes. Las asociaciones profesionales, deportivas, culturales, religiosas, actividades de la comunidad, tienen un potencial ilimitado para hacer contactos. En cuanto se identifique algún interés común entre personas que en principio parecen no tenerlo, las barreras desaparecerán.

Es importante unirse a redes existentes y crear las propias redes.

Conectar grupos diferentes de personas. Estimular la colaboración y la confianza mutua. Las relaciones llevan tiempo, esfuerzo y crecen a su propio ritmo. Sin embargo, es aconsejable evaluar periódicamente el interés de seguir participando en determinadas redes. La contrapartida de esta situación es no perder nuestro foco. Establecernos metas. Dedicar un tiempo al networking. Mantenerse conectadas es más importante y más difícil que realizar el contacto inicial. Los contactos que uno tiene son un valor en el desarrollo de la profesión y son cruciales para la vida personal y el éxito de la carrera.

Y en palabras de Sonia Abadi, quien también nos acompaña desde siempre:

Las tecnologías de la comunicación han modificado la noción de espacio, de tiempo y también la de los límites de la persona. Esto, a la vez, generó un modo de comunicación donde la Red tecnológica y la Red humana se entrelazan.

Hoy, entre lo individual y lo colectivo, debemos considerar y desarrollar lo conectivo.

Por otra parte, Florence de Sola, consultora internacional salvadoreña con quien compartí una capacitación para emprendedoras en Nicaragua, lo explica de esta manera:

En esencia, hacer networking es fomentar relaciones positivas que nos llevan al crecimiento personal y profesional... Relacionarnos con personas que admiramos, respetamos, y con quienes compartimos ideas e intereses nos ayuda de todas formas: conociendo los éxitos de otras personas podemos saber qué es lo que funciona, y podemos identificar áreas en las que podemos mejorar... Para hacer un networking efectivo, es importante que este venga desde un lugar de honestidad y transparencia...

Y sugiere que podemos practicar los siguientes pasos: *primero, conocernos profundamente, y saber qué valoramos; segundo, tener claridad de nuestros intereses y metas; tercero, saber acercarnos a personas a quienes no conocemos; cuarto paso, poder iniciar una conversación con un interés genuino por la otra persona; el quinto, mantener el contacto a través del tiempo de una manera agradable, amistosa e informativa; y finalmente el sexto, ayudar cuando se puede y agradecer cualquier ayuda cuando se recibe.*

Si tuviese que agregar algo sobre el *networking* o la "gestión de las relaciones", como me gusta llamarlo a mí, sería basarlo en relaciones auténticas y profundas entre las personas, y apalancarse sobre los cuatro acuerdos de la sabiduría tolteca, tal como nos enseña don Miguel Ruiz en su libro: *Sé impecable con tus palabras, no te tomes nada personalmente, no hagas suposiciones y haz siempre lo máximo que puedas.* En definitiva, una de mis máximas: *Haz con los demás lo que te gustaría que te hicieran a ti.*

Esa es la filosofía con la que intento permanentemente regir mi manera de ser, conectarme y trabajar en red.

Estoy convencida de que la mayoría de los problemas son de relaciones. Por lo tanto, es algo que tenemos que cultivar y cuidar. Y otro punto importante: estar atentos a no dejarnos contaminar por nuestras propias etiquetas, prejuicios y estereotipos.

Hay que ser verdaderamente generoso con el otro, especialmente reconociendo su invaluable aporte. Todos, de una manera u otra, somos únicos, y nuestra participación e interacción son únicas.

Esto no quiere decir que no existan errores, falta de criterio, falta de comunicación y/o simplemente un mal día en el que las cosas no se hicieron o no se dieron como se debía… Cuando esto ocurre, propongo no dejar pasar estos temas, sino hablarlos con todas las letras, oraciones y correcciones necesarias. Lo que es inadmisible es inadmisible. Pero ojo. Solo hablamos de la situación en sí, del resultado no querido, no de la persona. Y en esto hay que ser muy cuidadoso: *Duro con el problema, blando con las personas, otra de mis máximas.*

Herramienta clave: El autoempoderamiento

En definitiva, el empoderamiento, la construcción de relaciones, el trabajo en red, y el cuidado personal y espiritual van de la mano del crecimiento personal e interno que menciono. Digamos, entonces, que otra de las herramientas que considero clave para el empoderamiento tiene que ver con el *auto-empowering*. ¿Qué quiero decir? Comprobé que para crear movimiento en el "afuera" primero tengo que empezar a mover la energía desde "adentro". Llamémoslo "tomar el toro por las astas", ser "protagonista", salir del lugar de "víctima", o "ser líder de tu propia vida", como sea que te resuene. Esto para mí quiere decir: ir hacia lo que quiero, a lo que creo que necesito que pase en mi vida. Lo que pasa "afuera" por lo general es un espejo de lo que pasa "adentro".

Eso me hace preguntarme: *¿qué quiero que acontezca? ¿Qué me gustaría ver reflejado afuera? Lo que veo, ¿es lo que quiero? ¿Cómo podría hacerlo, si no? Y esas preguntas las traslado a todos los aspectos de mi vida...*

Otro de los ejercicios que me resultó útil fue eliminar todas las pequeñeces que me predisponían negativamente para así encarar mi día de una manera positiva.

Recuerdo una vez en que tomé un lápiz y comencé a listar todas las cosas que me molestaban diariamente. Mi sorpresa fue que ¡llegué a listar más de cien! Desde encontrar la mermelada sin su tapa, hasta arrancar todas las mañanas corriendo y renegando con los niños porque llegábamos tarde al colegio.

Darme cuenta de que eran cosas que podía remediar solamente hablando razonablemente con los responsables, explicándoles lo fantástico que sería para nuestra convivencia si me ayudaran con ese punto, y lógicamente ofreciéndome a devolver la gentileza con cualquier cosa que a ellos también los incomodara e incorporando pequeños ajustes de mi lado (como levantarme diez minutos antes para no arrancar a las apuradas)... No solo fue magnífico para mi calidad de vida cotidiana, sino que lo fue para todos los que me rodeaban.

Otro aspecto que considero "autoempoderador" es el de cultivarnos, como ya mencioné. Ser auténticas autodidactas. Leer y escuchar a diversos expertos, participar en conferencias, foros, seminarios, talleres... Creo que lo que más me motiva es la avidez por saber absolutamente todo lo que pueda acerca de los temas que ocupan mi genuino interés en determinados momentos.

Hoy me interesa, sobre todo, cultivarme el alma, el espíritu, encontrarme con mi esencia. Y esto me lleva a introducir como herramienta de empoderamiento un profundo trabajo introspectivo, al que me referiré al final del libro.

Tuve la fortuna de escuchar recientemente en vivo a Elizabeth Gilbert, autora del *best seller* *Comer, rezar, amar*, en ocasión de la presentación de su libro *Big Magic, Creative Living beyond Fear* (Gran magia, vida creativa más allá del miedo). Nos desafió a pensar *qué haríamos si no tuviésemos miedo*. Me sorprendí con mi propia respuesta: *Si no tuviese miedo, publicaría mi libro*, y aquí estoy. Entender que el miedo puede ser nuestro aliado también es empoderador.

El camino, la aventura, no podía ser más interesante, y no por ello menos desafiante. Desde un liderazgo transformador, hacia uno consciente, comprometido, compartido, multiplicador, llegaba a un liderazgo solidario, generoso...

Capítulo 6

El poder del mentoreo

▪ Hacia un liderazgo solidario y generoso

Si me lo dices, lo olvidaré;
si me lo cuentas, lo recordaré;
si me involucras, lo aprenderé...
Proverbio anónimo.

El encuentro entre dos personalidades
es como el contacto entre dos sustancias químicas;
si existe una reacción, ambas se transforman.
Carl G. Jung

Puedo hacer cosas que tú no puedes,
tú puedes hacer cosas que yo no puedo,
juntos podemos hacer grandes cosas.
Madre Teresa de Calcuta

Si contamos con suerte, cuando somos jóvenes profesionales quizá tendremos a disposición la experiencia de nuestros padres, algún tío/a, o algún otro familiar que pueda ilustrarnos cómo es la vida profesional en la práctica. Cómo lo hicieron ellos, qué desafíos y oportunidades encontraron.

Del mismo modo, poder contar con la experiencia de otros profesionales, que además han sido exitosos en sus carreras, me parece una excelentísima oportunidad a la que pueden acceder las nuevas generaciones.

Quiero agradecer públicamente a las más de doscientas mujeres (solo en Argentina) que se han sumado como mentoras a nuestros programas. Porque realmente me parece un símbolo que engloba un acto de generosidad, de grandeza, de entrega, de compromiso, e incluso de amor, el contar su experiencia a otra persona. Invaluable. Es también un acto de mucha humildad, solidaridad y humanidad... Porque tiene que ver con humanizar... humanizar tus errores y aciertos, humanizar tus éxitos y tus fracasos... Tiene que ver con que un otro, o una otra desde su lugar, te muestra una forma. Y te muestra una "forma" de hacer las cosas, su propia fórmula, que no tiene que ser la única ni la mejor. Es la que pudo, la que le salió, resonó o simplemente fluyó.

Y además, me resulta un acto de mucha entereza... pues esa misma receta sabés que puede no "resonarle" a tu aprendiz, por diferentes estilos, incluso de vida, o por lo que fuere. Pero sin duda, sabés que la puede inspirar, que puede aprender de tu experiencia, que podés ayudarla a "no tropezar con la misma piedra". La podés inspirar para que sea ella quien reafirme, descubra o cree lo que quiera crear, lo que quiera reflejar, para que elija el camino que quiera tomar por su cuenta... Y eso, simplemente, me resulta grandioso.

Me encanta cuando las duplas que se generan son sinérgicas, y donde la retroalimentación y el enriquecimiento son los "protagonistas" de la díada. Pero también entiendo que pueda suceder que, a primera vista, no encuentres el punto de unión con la pareja que te asignaron o elegiste para ser mentora o mentoreada. Pero ¿sabés qué? ¡Me resulta un desafío divino! Y con "divino" me refiero a un designio del universo. Llamémoslo "sincronicidad", "diosidad", o "jugarreta del destino". Un desafío increíble. Del cual podés salir beneficiada, e incluso transformada.

Con mi mentora, en las tres semanas que compartí con ella, no sentí que me conectara desde lo personal ni desde lo emocional – algo que hubiera esperado, aunque debo admitir que quizás ella era solo un espejo de mí misma, y la que no estaba preparada para esa conexión era yo–, sino que fui solo una espectadora de su performance profesional... Y aun así me pareció sumamente enriquecedor. Pude aprender muchísimo, más de lo que suponía. Pude aprender desde el lado positivo y desde lo negativo. Desde lo positivo, todas las herramientas que pude adoptar en mi propio quehacer, o reafirmar. Y desde lo negativo, ver formas que definitivamente no iban con lo que yo quería ser. Y si por casualidad me veía reflejada, era la ocasión ideal para reflexionar y desafiarme a encontrar otras maneras.

No obstante, también aprendí que, a veces, por más que quieras hacer las cosas de otra manera, no podés. No podés porque, por ejemplo, tenés una agenda súper demandante, en la que el tiempo no te alcanza para nada... y tenés que elegir, priorizar... Entonces, eso también es un aprendizaje. No siempre el otro va a estar exactamente en la misma frecuencia que uno. Además, a veces, el otro no puede algo diferente, y nosotros tampoco.

Y eso, en sí mismo, es aprendizaje...

Porque, en definitiva, tu agenda no solo tiene temas profesionales, también tiene temas personales. La agenda no está dividida. Es única. La vida no es profesional o personal, la vida es una y trata... trata de relaciones... Con uno mismo, con los otros, con su Dios, con el planeta Tierra o con el universo...

Lo que más valoro de este último tiempo es que no solo aprendí a reconocer las virtudes femeninas. Encontré mi propia verdad... mi voz interior, mi centro de poder.

Todos somos mentores y mentoreados a lo largo de nuestra vida y en diferentes momentos de nuestras trayectorias.

Mentoreo y agradecimiento: una díada irresistible

Sin saber nada del mentoreo, desde que comencé mi carrera profesional tuve mentores.

Un mentor es una persona que guía, orienta, aconseja sobre tu desarrollo profesional. Una persona con la que podés conversar desde temas cotidianos hasta temas trascendentales que te preocupan en tu quehacer profesional. Es alguien en quien confiás, tanto en su criterio como en su buena fe. En un vínculo de mentoreo se comparten conocimientos, experiencias, valores, emociones, deseos y temores relativos a la vida profesional, pero vinculados también a la vida personal, familiar y social.

El concepto tiene su origen en la *Odisea*, del poeta griego Homero. Antes de partir para Troya, Ulises le encargó a su amigo Mentor la preparación de su hijo Telémaco. Mentor ejerció, entonces, de modelo, consejero, inspirador y estimulador de desafíos a fin de que Telémaco se convirtiera en un líder competente, capaz de asumir el reto de suceder a su padre como rey de Ítaca, la bella isla mediterránea. Ulises logró así el objetivo de educar a su hijo a distancia.

Desde entonces el término ha sido utilizado como sinónimo de *tutor, guía, consejero*, hasta alcanzar, en la actualidad, incluso el significado de *counsellor* o *coach*.

A medida que vamos desarrollándonos en nuestras profesiones vamos enfrentándonos con nuevos desafíos, no siempre estamos ciento por ciento seguros de la decisión que debemos tomar. Muchas veces, la toma de decisiones es una acción muy solitaria.

Sin embargo, el proceso que desemboca en la decisión puede ser muy rico si compartimos nuestros objetivos, inquietudes e ideas con otros en quienes confiamos. Al darnos su punto de vista, esas personas enriquecen nuestra visión. Muchas veces pueden aportar detalles que no teníamos en cuenta o subrayar cuestiones que nos parecían secundarias. El punto de vista de los otros siempre nos brinda un panorama de situación más completo. Y eso lógicamente redunda en una mejor toma de decisiones.

El mentoreo es una experiencia sumamente enriquecedora. Es una herramienta sencilla y poderosa para ayudar a las mujeres a alcanzar su máximo potencial, para acelerar el desarrollo del liderazgo de las mujeres.

En mi caso, el primer mentoreo informal que recuerdo comenzó por casualidad. Una relación empática, en la que me sentía identificada con esa persona y aprendía de sus experiencias, comentarios y visión profesional.

Recién ahora soy consciente de que siempre tuve mentores. Y sé que, de aquí en más, fomentaré tenerlos de manera constante. Por lo general, mis mentores son mucho más experimentados que yo. ¡Cuánto más valioso! ¡Cuánta sabiduría para absorber!

Mi primera mentora fue también mi primera jefa. Fue ella quien me enseñó y proveyó las primeras armas para desempeñarme en el mundo laboral. Fue quien me enseñó los secretos básicos de mi querida y primera profesión, quien me alentó a no desanimarme frente a las primeras frustraciones profesionales, y quien me animó a continuar por el camino de las relaciones públicas y la prensa. Estaré siempre agradecida por ello. ¡Gracias, Mónica Maturano!

Una de mis principales mentoras fue una mujer encantadora, ya retirada, miembro del Directorio y líder del Departamento de Relaciones Públicas de una empresa internacional de gran prestigio, a quien acompañé en su gestión durante diez años, como su consultora externa en comunicación y prensa.

Hace más de veinte años que comencé mi práctica profesional y la mitad de ellos los recorrí a su lado. Gran parte de mi formación se la debo a ella. Sin duda, mi perfil y mi estilo tienen una gran impronta de esta mujer. Y para mí es un orgullo que así sea. Ella creyó en mí, y sin querer queriendo me "empujó" a armar mi propia empresa. Eso no lo olvidaré jamás. ¡Gracias, Carolina Martin!

Otra mentora espectacular que tuve, también ya retirada, fue una consultora independiente en comunicación estratégica. Ella me inspiró, me aportó visión, foco, y me alentó a superarme día a día, año a año. Me acompañó en los procesos de cambio, que fueron continuos y claves para mi propio crecimiento y el de cualquier organización. ¡Gracias, Adriana Bacciaddone!

También tuve y sigo teniendo hombres mentores, quienes me aportan una mirada aguda, práctica y directa sobre el mundo de los negocios.

Hoy por hoy no puedo enumerar en su totalidad a las mentoras y mentores que me acompañan, pues el concepto está tan incorporado a mi vida que inconscientemente todas mis relaciones son un vínculo recíproco de aprendizaje, orientación y guía.

Cada uno, desde su lugar y con una generosidad desmesurada, me ha brindado su tiempo y aportado las energías necesarias para continuar recorriendo el camino elegido. ¡Y esto no quiere decir que no haya tropezones!

Gracias, gracias, gracias a todos y cada uno, mis maestras, maestros, mentoras, mentores, guías, colegas, amigos, amigas.

Confieso que agradecer hasta me resulta un acto "egoísta". Vivo agradeciendo porque me hace feliz. Te sugiero que lo pongas en práctica. Dar las gracias te mejora la calidad de vida, te hace gozar de experiencias positivas, te aumenta la autoestima, te ayuda a superar el stress y la ansiedad, te aleja de pensamientos verdaderamente egoístas y feos.

Sin duda, una de las claves de mi crecimiento personal y profesional está en ser agradecida y en tener la posibilidad de rodearme de personas más experimentadas, que gracias a su capacidad y buena voluntad me acompañan en mi desarrollo. Te aliento a que hagas lo mismo. Quizá, sin darte cuenta, hasta te sorprendas reconociendo que ya tenés un/a mentor/a. ¡O varios!

Como ya he contado, en los programas de mentoreo de Voces Vitales incluimos espacios de capacitación, tanto para las jóvenes destinatarias como para las mentoras. Estas capacitaciones están, generalmente, a cargo de Lidia Heller.

En el marco del programa, ella propone la generación de vínculos entre mentoras y mentoreadas, introduciendo la visión de género. Indica que el proceso requiere una instancia en la cual acordar metas y crear un lazo de confianza que permita alentar el potencial creativo en la toma de decisiones estratégicas, tanto como adquirir nuevas capacidades de análisis, negociación y propuesta, y ampliar las redes de comunicación y contactos.

Lidia también se pregunta (y nos pregunta): ¿qué significa hablar de relaciones de género?

Y responde que implica hacer visible (o por lo menos tener en cuenta) que los sistemas de género, tal como lo hemos analizado en el Capítulo 2, son los conjuntos de prácticas, símbolos, representaciones, normas y valores sociales que las sociedades elaboran a partir de la diferencia sexual. Las relaciones sociales de género son relaciones de poder, y dentro de la división social del trabajo operan como núcleo motor de la desigualdad.

Lograr la equidad de género en el ambiente de trabajo y en el desarrollo de la propia carrera profesional, tal como venimos afirmando, no debe ser mirado simplemente como un "tema de mujeres", sino como algo que compete a la sociedad en su conjunto.

Cuando las mujeres estamos en el mundo laboral se hacen evidentes algunas metáforas que la teoría ha construido para explicar los fenómenos de género justamente en este ámbito: por ejemplo, el techo de cristal[15] y los pisos pegajosos[16].

Además, existen tensiones entre la vida laboral y personal, faltan políticas flexibles y de apoyo para conciliar vida familiar y profesional, estereotipos sobre el desarrollo profesional, estándares de éxito, desigual valoración de actividades. Faltan modelos de mujeres, de mentoras, oportunidades para la formación de redes y hay discriminación tanto explícita como sutil que exterioriza modelos mentales sobre los roles de las mujeres. Es conveniente tener espacios para conocer y reflexionar sobre estas cuestiones y, además, formarse una opinión directriz de nuestras actitudes.

El intercambio de estas ideas con una mentora puede ser la oportunidad para incorporar la perspectiva de género en los futuros pasos profesionales de ambas.

Sin duda, la experiencia de mentoreo suele ser trascendente para la mentora y para la mentoreada. Tanto, que la mayoría de las veces es difícil saber hasta dónde puede llegar el resultado de una acción de mentoreo.

El mentoreo es la herramienta más sencilla y poderosa que existe

---

[15] *Techo de cristal:* es una barrera invisible, difícil de traspasar, que describe un momento concreto en la carrera profesional de una mujer, en la que, en vez de crecer por su preparación y experiencia, se estanca dentro de una estructura laboral, oficio o sector. El término (del inglés *glass ceiling*) nace en los años 80 en un informe sobre mujeres ejecutivas publicado en *The Wall Street Journal*, pero se ha extendido a todo tipo de ocupaciones. No se trata de un obstáculo legal sino de prejuicios extendidos acerca de las mujeres en puestos de responsabilidad, el salario y el otorgamiento de categorías similares por las mismas funciones al considerar que se conformarán con menos, así como sutiles prácticas patriarcales del mundo de los negocios, como el tipo de reuniones, el corporativismo masculino o el amiguismo.

[16] *Piso pegajoso:* se refiere a las tareas de cuidado y vida familiar que tradicionalmente se han asignado a las mujeres. Salir de este "espacio natural" (que según el patriarcado les corresponde) es un obstáculo para su desarrollo profesional o para el acceso a capacitaciones que les permitirían acceder al mundo del trabajo. Este concepto está relacionado con el "equilibrio" entre el trabajo en y fuera de casa.

para acelerar el desarrollo del liderazgo de las mujeres. Solo hay que comprometerse a invertir tiempo, y es el regalo más valioso que una persona le puede dar a otra.

Creo firmemente en que el mentoreo desarrolla liderazgo y hay un enorme valor agregado para toda la sociedad en practicarlo. El mentoreo es una experiencia bien práctica, especialmente como la concebimos en Voces Vitales. Se establece una relación de aprendizaje y confianza entre una persona exitosa y más experimentada, con otra persona que tiene ansias de prosperar en su camino profesional y personal. Mediante sesiones de conversación, trabajo en conjunto y el acompañamiento de la mentora en su quehacer, se busca motivar a las aprendices a descubrir ciertas habilidades y recursos. Si sos aprendiz, tu mentora te inspira a sacar a la luz esos talentos y te guía para que des el próximo paso fundamental hacia tu crecimiento.

El mentoreo es un intercambio, es una relación recíproca, de dar y recibir, en la que la mentora disfruta también de ofrecer y compartir sus aprendizajes sobresalientes, y esto ayuda a la mentoreada a crecer y a dar ese paso significativo más allá de su *zona de confort*.

Por otro lado, el mentoreo es una práctica de relación que mejora notablemente tanto el liderazgo en sí mismo como el crecimiento en la carrera. Le da a la mentoreada la oportunidad de apreciar las cosas más allá de su propia visión, desde una perspectiva mayor, con una visión panorámica, objetiva y confiable. El mentoreo le da la posibilidad a la mentoreada de liberar su potencial total como persona, independientemente de la organización o del emprendimiento en la que se desempeñe. Un valor agregado adicional digno de destacar es la oportunidad de acceder e introducirse en un círculo de relaciones (*networking*) absolutamente nuevo y fuera de su propia red de relaciones.

Históricamente los hombres han mentoreado a las nuevas generaciones de hombres y niños. Estas relaciones fueron sumamente efectivas. Ya era hora de que las mujeres invirtiéramos en esta práctica también. Para las mujeres, en el mundo de hoy, el mentoreo es una nueva y creciente metodología para explorar y explotar.

Sostengo que el poder del mentoreo tiene la capacidad de transformar a la sociedad. Las relaciones que se construyen mediante esta experiencia van más allá del tiempo, el espacio y las industrias, y con el poderoso y profundo intercambio de conocimiento, ideas, información, y las perspectivas que se generan, se crea y potencia el talento femenino en un ciclo sistemático que se pone al servicio del bien común para hacer crecer las economías y la sociedad en su conjunto.

¿Cuáles son esas preguntas que no deberían faltar en tu encuentro de mentoreo?

Sobre la base de mi propia experiencia como mentora y como mentoreada, las preguntas más efectivas para hacerle a un/a mentor/a son:

1. ¿Cuál fue la mejor decisión que alguna vez tomaste? ¿Y cuál fue la peor?

2. Si hubiera una sola cosa que hubieras necesitado saber antes de empezar tu carrera profesional, ¿cuál habría sido?

3. Cuando te enfrentás a una desilusión o a un fracaso, ¿cómo lo manejás?

4. ¿Cuál sería tu sueño, tu fantasía, si no hicieras tu trabajo actual? ¿Qué te detiene?

5. ¿Cuál fue el mejor consejo que te han dado en tu vida?

6. Si hubieras podido escribirte una carta a vos misma hace varios años, ¿qué te habrías dicho?

Según Bert Gervais, fundador de Success Mentor Education, otras preguntas para sacarle todo el provecho al encuentro de mentoreo son:

1. ¿Cómo pasás la mayoría de tu tiempo? ¿Cómo es un día tipo de tu vida profesional y personal?

2. ¿Qué harías si estuvieras en mi lugar?

3. ¿Cómo podría ayudarte?

4. ¿Es este el lugar al cual pensabas que llegarías? ¿Cómo llegaste aquí?

5. ¿Cuál supo ser tu mayor debilidad? ¿Qué aprendiste de vos en los últimos seis a doce meses?

6. ¿Cuál considerás que es tu mejor fortaleza? ¿De qué te sentís orgullosa?

7. ¿Cuáles son las organizaciones profesionales o asociaciones en que estás inscripta? ¿De qué manera te ayudaron?

8. ¿Con quién/quiénes más me recomendarías que me relacionara?

9. FORM: acrónimo de Familia, Ocupación, Recreación y Motivación. Encontrar algún punto de contacto con tu mentora será de gran ayuda para el desarrollo de la relación en el momento y/o a largo plazo.

10. Si alguna pregunta más se me presenta, ¿puedo contactarte más adelante para hacértela?

Ser una líder con mayúsculas

Después de todos estos años de estar trabajando con mujeres líderes a lo largo y a lo ancho del mundo, de diferentes organizaciones, industrias, culturas, aprendí que hay un denominador común a pesar de todas las diferencias y particularidades. Este denominador me hizo repensar y reconocer un nuevo paradigma con respecto a lo que es ser una líder con mayúsculas.

Una buena líder, ante todo escucha. Cuando aceptás un rol de liderazgo, ya sea en una organización social, de negocios o un proyecto comunitario, es crucial entender tu entorno. Conocerlo profundamente. Hacer preguntas y escuchar a todos los que te rodean, a todos los que te acompañan en la consecución de tus objetivos, entender quiénes son, qué necesitan, qué los moviliza, qué los motiva. Todas las personas tienen un hondo deseo de ser escuchadas y los verdaderos líderes reconocen esa necesidad en los otros y la satisfacen. Los verdaderos líderes, mujeres y hombres, encuentran soluciones sustentables a los problemas, justamente porque logran un entendimiento y una conexión cabal con la gente y su comunidad.

Una buena líder comparte el poder. Parafraseando a Alyse Nelson, ¡el liderazgo no viene en una vacuna! Tal como adelanté, cuando hablamos sobre empoderamiento, las líderes más efectivas comparten una creencia en común: "el poder se expande a medida que lo compartimos". Si liderás sola o solo para vos, seguro no llegarás a ningún lado. Justamente, aprovechá tu lugar de liderazgo para empoderar a otros, para hacerlos brillar. De esta manera, tu impacto, y el impacto de los demás, se multiplicará notoriamente. Ya mencionamos la importancia de las redes de mujeres como aceleradoras de su liderazgo. Adoptémoslo como una verdad universal. Es un hecho fáctico: con acceso a círculos de influencia, las mujeres están infinitamente mejor posicionadas para reconocer el cambio y alcanzar posiciones de liderazgo.

Una buena líder busca mentores y además se convierte en una mentora. Otra verdad universal que deberíamos adoptar es que el mentoreo promueve el liderazgo. Sin duda alguna, las mentoras que eligieron invertir en mí me ayudaron a orientar mi propio camino. La mentora no es alguien que te da una mano solo para llevarte un paso más adelante, sino alguien que está y se queda parada a tus espaldas pierdas o ganes, es una alianza. Una buena mentora celebra tus logros, pero una mejor te alienta a que aprendas de tus errores. Te aconsejo fuertemente que busques mentoras dentro y fuera de tus entornos y círculos. Buscá mentoras con quienes puedas hacer una asociación/alianza mientras estés desarrollándote en tu liderazgo.

Pero lo más importante de todo, lo que me gustaría puntualizarte especialmente, es ¡que seas vos misma quien te transformes en una mentora! Compartí tu sabiduría, tus contactos, talentos y habilidades. Fomentá una reacción en cadena benéfica, para que el resultado sea mayor participación de la mujer en la sociedad, un mundo más justo y equitativo para todas y todos. Según el estudio de Catalyst, en 2012 el 65% de las mujeres que fueron mentoreadas se volvieron mentoras ellas mismas.

El liderazgo es una práctica cotidiana. Es una decisión que tomamos. No existe el momento o la oportunidad perfecta para empezar a liderar. No "se llega" a un lugar para liderar. Se lidera desde el lugar donde estamos. El liderazgo no es un destino final, como ya mencionamos, sino que es un camino, un proceso, una elección de vida.

Debemos ser abiertas y estar dispuestas a aceptar y entender que el desarrollo de nuestro estilo de liderazgo es un proceso continuo de aprendizaje y evolución. Incluso, y sobre todo siendo una líder emergente, tenés la habilidad y la responsabilidad de liderar significativamente, de dejar un legado.

Para cuando te conviertas vos misma en una mentora

Recordá que la acción de mentorear significa enseñar, aconsejar, apoyar, guiar y ayudar a la persona mentoreada a alcanzar sus objetivos. Esto implica alentar el desarrollo de su identidad personal y profesional. Existe el mito de que las relaciones de mentoreo deben ser largas para ser efectivas, pero la realidad muestra que en pocos días se pueden lograr resultados importantes. Lo que cuenta es la calidad del vínculo: si "nutre" y brinda apoyo; si provee información, guía y asistencia.

Otro mito es que el mentoreo es una relación de una sola vía, que beneficia únicamente al discípulo o la discípula. Por el contrario, está demostrado que ambos participantes ganan. Los mentores reciben de sus aprendices información, ideas, perspectiva, y otras formas de ayuda directa, además de la posibilidad de observar la propia trayectoria a través de la mirada fresca de otra persona, y de descubrir oportunidades y nuevos rumbos a través de ello.

El mentoreo consiste en tres acciones básicas*:
- Escuchar: deseos, ambiciones, miedos, condicionamientos...
- Compartir: conocimientos, experiencias profesionales y personales, insights, desafíos atravesados a lo largo del camino...
- Facilitar: herramientas, conexiones, visión, perspectiva...

A través de estas acciones, la mentora puede ayudar a su aprendiz a:
- Encontrar el sentido en lo que hace, y a ver las múltiples maneras en que eso afecta a otros a su alrededor y marcar una diferencia.
- Reconocer las fortalezas personales. La mayoría de las personas no saben por sí mismas al inicio de sus carreras cuáles son sus puntos fuertes, a través de los cuales pueden hacer las mayores contribuciones. La mirada de la mentora puede ser un gran aliciente.

- Fijar objetivos a corto, mediano y largo plazo para su carrera o para el proyecto puntual que desee encarar, y orientarla en las acciones iniciales para cumplimentarlos.

- Aprender a lidiar con los errores y obstáculos. Mostrarle una perspectiva, un marco de referencia que le permita procesar las equivocaciones de un modo positivo, para poder aprender de ellas y volver a mirar hacia adelante. No todo el mundo nace optimista, pero sí puede desarrollar una visión en la cual los errores tengan su lugar y su función.

- Descubrir, escuchar y expresar la propia voz. Animarla a descubrir qué constituye el éxito para ella, qué es lo que realmente quiere, y saber que lo merece y puede atreverse a pedirlo y negociarlo.

- Reflejar sus logros: reconocer los aportes que realice la aprendiz para que puedan ser apreciados.

- Identificar apoyos y personas que, aunque no estén relacionadas directamente con su campo de acción, pueden ayudarlas.

- Detectar oportunidades a su alrededor que puedan estar pasando por alto.

- Ayudar a comprender la importancia de las redes. Las mujeres tienden a construir redes profesionales pequeñas y profundas con gente de ideas similares. Enseñarles a armar redes más amplias para tener mayores recursos de conocimiento y oportunidades profesionales.

- Y por último, ser una persona accesible, ser un modelo positivo,

---

* **Fuentes:**

◆ Helping Talented Women Thrive. The McKinsey Leadership Project.

◆ Mentoring: Myths and Realities, Dangers, and Responsibilities,Bernice Resnick Sandler.

◆ Mentoring 101,John Maxwell.

◆ PRODEM - Programa de Desarrollo Emprendedor de la Universidad Nacional de General Sarmiento.

ser auténtica, mostrar interés genuino, compartir experiencias y puntos de vista, abrir contactos, actuar como una caja de resonancia, proporcionar una nueva perspectiva, aportar información útil y reconocer los logros. Y especialmente, disfrutar el tiempo compartido.

Voces que inspiran

Andrea Grobocopatel comentaba en su libro Pasión por hacer, recientemente publicado, que cuando la invitamos a formar parte del capítulo argentino de Voces Vitales para que fuera mentora y miembro del Consejo Asesor, no dudó en involucrarse rápidamente y en motivar a más mujeres para que lo hicieran también.

En sus palabras, *poder participar como mentora ha sido para mí una experiencia sumamente enriquecedora. Me he dado cuenta de que el efecto positivo del mentoreo se refleja en ambas partes; es el tipo de relaciones que me gustan, basadas en el ganar-ganar. La mentora, al compartir su experiencia, reflexiona sobre ella misma, sobre sus aprendizajes; al mismo tiempo las preguntas de la mentee la ayudan a repensarse, a planificar su futuro. La mentee, por su parte, escucha realidades que complementan claramente su formación y la ayudan a transformarse y empoderarse. Toma confianza en sí misma, pierde temores.*

Nicole López del Carril es una joven argentina que residió en los Estados Unidos desde pequeña. Actualmente vive en Abu Dhabi, donde fue invitada a participar de la apertura de la Universidad de Nueva York en esa ciudad.

Sin duda, Nicole es una joven brillante y una líder nata. Llegó a Buenos Aires a cursar estudios en la universidad y se contactó con Voces Vitales de Argentina pues había sido pasante en Vital Voices Global Partnership, en Nueva York.

La incluimos en el Mentoring Walk (Caminata de Mentoreo). Su mentora fue Gabriela Terminelli[17].

Poco tiempo después de esta experiencia de mentoreo, y ya de vuelta en Abu Dhabi, Nicole nos contaba:

Organicé en la Universidad de New York en Abu Dhabi un programa de mentoreo de mujeres líderes, basado en el Programa de Mentoreo de Voces Vitales Argentina. Mi mentora, Gabriela Terminelli, con quien iniciamos un vínculo que continúa, fue increíble al brindarme una nueva perspectiva de mi carrera y de mi formación, incluso de mi vida personal.

Fue una gran inspiración comprender el potencial del networking al reunir mujeres extraordinarias, que se desempeñan en diferentes aéreas y con diferentes estilos de vida, y quise recrearlo en Abu Dhabi.

Allí son muy pocas las oportunidades para que personas de diferentes grupos sociales y profesiones puedan establecer contacto, encontrar puntos en común y colaborar. Incluso, en principio, evalué la posibilidad de realizar el programa con mujeres estudiantes de diferentes universidades, pero me resultaba tan complejo el mundo de las relaciones entre universidades que decidí focalizar en mi universidad y realizar allí el programa piloto.

Durante el verano, a través de contactos en mi universidad, obtuve información sobre mujeres líderes que se desempeñaban en diferentes áreas de la sociedad y que eran exitosas. Luego, durante dos meses, me entrevisté con cada mujer que podía ser mentora y consideré especialmente a aquellas que demostraran interés con la propuesta, que

---

[17] Gabriela Terminelli es vicepresidenta del Comité Ejecutivo de Voces Vitales Argentina, y participa como mentora de sus programas desde su fundación. Es licenciada en Psicología, con posgrado en Psicología Cognitiva por la Universidad Favaloro. Obtuvo una Maestría en Administración de Empresas (UCA). Su tesis final se titula "La felicidad en el trabajo y su relación con la productividad". Es coach ontológico certificado y miembro fundador de la Asociación Argentina de Profesionales de Coaching.

fueran abiertas, entusiastas y tuviesen importantes experiencias para compartir. A los dos meses y medio había localizado a dieciséis mentoras y habían aplicado al Programa veinticuatro estudiantes. Incluso aplicaron dos mentees estudiando en Nueva York y tuve la oportunidad de contactarlas con mentoras en esa ciudad.

Realizamos el lanzamiento del Programa, con un almuerzo que reunió a todas las mentoras y mentees y despertó mucho interés en la comunidad.

Tuvimos una oradora, Jules Lewis, una deportista, escaladora, oradora y entrenadora. Se ha especializado en llevar a escalar montañas de gran altura a grupos de mujeres que han sobrevivido al cáncer, generando experiencias que fortalecen e impactan en el desarrollo de las participantes. Su participación fue muy conmovedora e implicó una gran motivación.

Yo hice una pequeña intervención y el resto del tiempo las duplas pudieron compartir, al estilo de Voces Vitales.

Ahora, al menos una vez por mes, vuelven a contactarse y estoy organizando un nuevo encuentro para que todas volvamos a juntarnos.

El capítulo argentino lleva adelante dos instancias de mentoreo: el Programa de Mentoreo, que dura una semana y reúne a una mentora con una mentoreada durante varias jornadas. También incluye varias capacitaciones y visitas a lugares estratégicos, como el Congreso de la Nación, donde las aprendices suelen reunirse con mujeres políticas prominentes, y la Embajada de los Estados Unidos, donde varias veces han sido recibidas por la embajadora o el embajador de turno. Siento gran orgullo de que nuestro Programa se vaya ampliando y, en las últimas ediciones haya podido incluir a jóvenes sobresalientes provenientes de distintas provincias argentinas.

La segunda instancia de mentoreo es la Caminata. Con el mismo espíritu del Programa, la Caminata reúne a una mentora y una mentoreada durante una mañana en la cual ambas salen a caminar y a conversar.

La idea del *Mentoring Walk* se originó con la fundadora y exdirectora general de Oxygen Media, Geraldine Laybourne[18]. Ante la reiterada solicitud de una joven y el deseo de Geraldine de conversar con ella, el secretario de esta mujer ocupadísima ofreció la posibilidad de que la charla se produjera mientras Geraldine realizaba su caminata diaria por el Central Park de la ciudad de Nueva York. Así nació este evento que hoy se lleva a cabo en casi cien lugares cada año. El encuentro resultó tan exitoso que Geraldine compartió su experiencia en el programa para mujeres líderes que desarrollan en alianza la revista *Fortune* y el Departamento de Estado de los EE.UU.

Los testimonios de nuestras mentoreadas son muy emocionantes y, al mismo tiempo, confirman una y otra vez la importancia de lo que estamos haciendo, cómo este capítulo argentino con el cual tuve tanto que ver vino a llenar un espacio que estaba vacío. Y cómo al hacerlo nos trajo mucho más que la posibilidad de ser guiadas profesionalmente.

Mariela Ghenadenik[19], luego de participar en la caminata, lo contó así:

En noviembre de 2010 fui una de las noventa mujeres que participaron de la segunda edición del Mentoring Walk en Argentina. El

---

[18] Geraldine Laybourne se convirtió en una de las mujeres más poderosas de la televisión. Después de trabajar como presidenta de las redes de cable de Disney/ABC, fundó la programación de Oxygen Media, la red de medios de las mujeres. Desde que vendió Oxygen Media en 2007 ha ayudado a cientos de empresarias y ejecutivas. Fue elegida en 1996 como la N° 1 entre las 50 mujeres más influyentes de la industria del entretenimiento por la famosa revista *The Hollywood Reporter* y fue nominada, ese mismo año, por la revista *Time* como una de las 25 personas más influyentes de Estados Unidos. Es embajadora de Vital Voices Global.

[19] Mariela Ghenadenik nació en Buenos Aires, Argentina. Es periodista y escritora; algunos de sus cuentos fueron premiados y publicados en diversas antologías por Random House Mondadori, además de por diversas revistas y publicaciones. En 2010, su primera novela *Desde el aire* (aún inédita) fue seleccionada entre las diez finalistas del Concurso Internacional de Novela "Letra Sur" de Yenny/El Ateneo.

evento, realizado en un sábado de sol, llenó las calles de Puerto Madero con mujeres de todas las edades que caminaron para compartir experiencias y visiones.

El buen tiempo hizo que el día fuera especial; pero había algo más en el ambiente, una especie de felicidad flotando en el aire, una certeza de que algo único estaba ocurriendo. Me sentí inspirada y, sobre todo, segura. Y cuando alguien se siente inspirado y seguro, cualquier cosa parece posible.

Tuve la oportunidad de tener una de las experiencias más gratificantes de mi vida: ser mentoreada por Geraldine Laybourne, la creadora de Nickelodeon y madre del Mentoring Walk, entre otros tantos logros. Geraldine me alentó a contarle mis dudas y temores acerca de mis desafíos profesionales, me escuchó atentamente, y con amabilidad, claridad, empatía y sabiduría ofreció su visión sobre mis preocupaciones.

Geraldine me animó a seguir mi verdad, aun cuando esto implique decisiones fuertes y trabajo muy duro para superar los miedos y obstáculos. Me ayudó a darme cuenta de que, más allá de quién sea el otro, siempre es posible relacionarse con los demás a través del corazón, ser amable y fuerte al mismo tiempo, amar a mi familia, mi trabajo y a mí misma con la misma pasión, y que es fundamental confiar en mí y en los demás, si quiero alcanzar mis sueños.

La caminata me despertó nuevas preguntas. Pensé en por qué nosotras, las mujeres, solemos tener miedo de tomar riesgos y hacer algo diferente de lo que deberíamos. Pensé en mi mamá, que siempre hizo lo que quiso y fue en contra de todo lo que supuestamente debía; entre varias otras cosas sobrevivió en un ghetto, aprendió castellano en dos meses, se recibió de médica, formó una familia y tuvo éxito profesional. Pero siempre tuvo que demostrar que estaba más allá de los prejuicios y lidiar con los clichés. Uno de sus colegas solía aconsejarle colgar el diploma, dedicarse a la casa y los hijos y dejar las decisiones importantes en manos de los hombres. Pero nadie podía convencerla

*de hacer algo diferente de lo que le marcaba su instinto. Un año des-
pués de su muerte no solo la extraño a ella, sino también a ese afecto
especial que se da cuando dos o más mujeres se cuidan entre sí.*

*Y eso es lo que hace del Mentoring Walk un espacio tan singular: es
un lugar seguro y cuidado, donde está bien hacer preguntas. Después
de la caminata me sentí más tranquila, capaz de reafirmar mis elecciones profesionales, aun a pesar de los desafíos.*

*También me di cuenta de que quiero ser parte de esta red invisible
de contención que miles de mujeres tejen día a día alrededor del mundo para que todas podamos sentirnos seguras de crecer y de seguir
nuestros instintos.*

*Quiero ayudar a que cada vez más mujeres puedan tener la liber-
tad de elegir sus sueños. Un deseo que, tal como le prometí a Geraldine después de nuestra caminata, voy a tratar de cumplir poniendo mi
mejor esfuerzo para poder hacerlo bien.*

Invité también a una de las mentoras a compartir su mirada
sobre la práctica del mentoreo. Ella es Marilen Stengel, una mujer con todas las letras, consultora, escritora, experta en temas de
mujeres, sumamente generosa, y una amiga. Cuando me la pre-
sentaron, hace por lo menos siete años, fue otro de los momentos
"¡ajá!" que tuve para reconocer el machismo inconsciente en el
que vivimos. Te presento a Marilen, la mujer de Sergio Sinay…

Semillas-deseo
Cómo cambiar el mundo desde lo femenino
Por Marilen Stengel [20]

*Las mujeres somos un poco más de la mitad del mundo. Somos al
menos el 50 por ciento del universo afectivo de otras mujeres, y mucho de lo que hoy somos se lo debemos a las que nos rodearon y nos*

rodean hoy. Son nuestras madres, hijas, hermanas, amigas, abuelas, compañeras de trabajo, jefas, mentoras, entre otras, quienes influyen de manera poderosa en el tipo de mujer que acabamos por ser, ya sea porque aprendimos y seguimos sus ejemplos o porque buscamos diferenciarnos de ellas. Y precisamente porque nuestra identidad se forja junto a ellas, es tan importante cómo nos comportamos con ellas. Por eso, cuando las mujeres nos reunimos para apoyarnos, lo que hacemos es recordar que somos responsables de una red que tejemos y nos teje, que sostenemos y nos sostiene desde los tiempos más remotos. Para que ninguna quede sola, aislada y sin recursos. Porque apoyar el desarrollo de otra mujer es apoyarme a mí misma, y porque su éxito impulsa el mío, el de nuestras hijas, hermanas menores, y todas las que vendrán después de nosotras.

Es en este contexto de trama que la figura de la mentora aparece como valiosa e indispensable. Una mentora ayuda a descubrir nuevos horizontes, a repensar lo pensado, a aprender cosas nuevas, a instrumentarse, a conocer gente que puede ayudarnos a cumplir nuestros

---

[20] Marilén Stengel es Escritora, Consultora y Entrenadora de Talentos. Se desempeña como instructora bilingüe en organizaciones públicas y privadas en temas de liderazgo, comunicación, trabajo en equipo, cambio organizacional, diversidad y género, entre otros. Con experiencia diseñando workshops a medida, dictando cursos y coordinando jornadas de capacitación en empresas en organizaciones gremiales y en organizaciones públicas tanto en el país como en USA, España, Uruguay, Paraguay y Bolivia. Desarrolló y coordinó el programa Talento Femenino, un plan de trabajo ideado para mujeres a fin de apoyar el despliegue del talento femenino en organizaciones y empresas. Fruto de dicho trabajo y de los talleres con mujeres son sus ensayos *De la Cocina a la Oficina. Qué ganan y que pierden las mujeres que trabajan* (Capital Intelectual, 2015), *Ahora Yo. Ser mujer, tener 40 y elegir tu vida* (Ediciones B, 2013), *La mujer presente. Hacia un verdadero protagonismo femenino* (2008), *Mujeres antes sí mismas. Madres, hijas, hermanas y amigas, la trama femenina* (2006), *Lo quiero todo y lo quiero ya* (2005). Más informacion: http://lamujerpresente.blogspot.com.ar/

desafíos laborales, y lo hace porque sí, porque decide entregar lo que sabe y tiene. Y en esa entrega de ida y vuelta, entre mentora y mentee, ambas ganan. Porque para cambiar el mundo se empieza así, por lo pequeño, por lo más próximo. Una mujer ayuda a otra, y esta otra a otra más, y así hasta el infinito. Lo maravilloso de esto es que todas podemos hacerlo porque todas tenemos una zona de influencia, un área en la que podemos modificar las cosas. Ese es el ámbito en el que podemos hacer la diferencia en la vida de otra mujer y dejar que otras hagan una diferencia en la nuestra. Ahora bien, si de veras queremos construir un mundo en el que más mujeres estemos sentadas en la mesa de decisiones, entonces tenemos que trabajar duro para aportar nuestro diferencial, eso que el mundo necesita hoy más que nunca. Pero ¿en qué consiste ese aporte?

Por una división cultural de roles, las mujeres hemos sido las "cuidadoras" de la humanidad, algo que venimos siendo desde los primeros tiempos. Y a través de ese rol aprendimos a liderar cuidando a todo el grupo, de manera horizontal, dialogando, negociando, empatizando, repensando las decisiones para beneficiar a la mayor cantidad de los miembros del grupo... y tanto más. No es que los hombres no sepan hacer esto, sí lo saben, es solo que nosotras tenemos el permiso cultural para ponerlo en juego, para sacarlo de la esfera privada y ponerlo en la pública. Esto es lo que el mundo extradoméstico necesita con más urgencia: lo que sabemos hacer. Y es, además, lo que las mujeres que deciden necesitan aportar a la sociedad para mejorarla y volverla más justa y más receptiva a las necesidades de todo lo que vive. Es cierto que resulta importante que más mujeres lleguen a puestos de decisión, pero más importa qué tipo de mujeres llegan y qué están dispuestas a ofrecer. Habiendo tantos hombres duros, ¿quién quiere mujeres de hierro? ¿Quién quiere líderes machistas? Nuestro desafío es salir a ofrecer lo nuestro, juntas y solidariamente. Desearlo es importante, pero más importante es trabajar para que esos deseos

se vuelvan realidades. El poema **Semillas-deseo** *que escribió Veróni-*
ca Reza, una querida compañera de búsquedas, muestra para mí el
camino para nuestras acciones:

"En este sobre se hallan agazapadas semillas-deseo
algunas germinarán, otras no
las semillas-deseo, para poder brotar, requieren de varias cosas:
primero, salir de este sobre
segundo, encontrar un ambiente apropiado para poder crecer
no el asfalto
no el vidrio
cada semilla tiene su propio tiempo
y sus propias necesidades de temperatura, sol y agua
sembrar un deseo no significa necesariamente que vaya a germinar
regarlo, cuidarlo y responsabilizarnos por él, probablemente aumente
sus posibilidades
en todo caso, en primer lugar,
necesitan salir de este sobre".
Por respeto, por amor a la red que construimos juntas y para devolver
algo de lo que otras nos han dado: amigas, colegas, mujeres, ¡a salir al
mundo a sembrarnos femeninamente!

La rueda del cambio está en marcha. Nuestros programas de
mentoreo ya tienen una historia. Aquel programa en el cual par-
ticipé, y que me devolvió a la Argentina tan convencida de que
quería para otras mujeres lo que yo había recibido, es parte de esa
historia. Hoy soy otra y puedo sonreírme a mí misma cada vez
que cierro una caminata, cada vez que me detengo a observar las
caras cuando se forma la ronda de mentoras y cada mentoreada
va por la suya, cada vez que cerramos una semana más de mentoreo. Me sonrío a mí misma porque solo yo sé el miedo que tenía

y cuántas veces pensé que no era posible, que yo no iba a poder. La rueda del cambio está en marcha. Y me siento muy feliz de haber sido parte de esa energía que la echó a andar en nuestro querido país. Antes de seguir esta aventura, a esta altura, "nuestro" viaje, hacia un liderazgo trascendental, se me ocurrió cerrar este capítulo realizando yo misma uno de los ejercicios que te recomendé: **Si hubieras podido escribirte una carta a vos misma hace veinte años, ¿qué te habrías dicho?**

Querida Tesorito, Tissito, Tissy:
¡Sí! ¡Así te llamaron desde que naciste! Integralo a esta nueva etapa de tu vida. No hay necesidad de que te escondas atrás de esa máscara de distancia de supuesta "profesionalidad".

No te pierdas en el camino. Relajate. Disfrutalo. La vida pasa rápido, es un suspiro. Proponete estar en cada momento, estate presente totalmente. No quieras estar en otro lado. Te aseguro que cada momento tiene mucho para enseñarte, y para disfrutar.

Danzá con la vida. No resistas lo que acontece. Bailá. Celebrá cada pequeño pasito. Felicitate más seguido. Sonreí. Sonreí... Reíte de vos misma y reíte a carcajadas. No te hagas mala sangre por detalles sin importancia. Eso también pasará a la historia. Te lo aseguro.

Ya encontrarás tu propósito. No dejes que la ansiedad se apropie de tu ser. No olvides tu SER por el hacer. No quieras llenarte de actividades para mantener tu vida "ocupada". Tu vida es mucho más que eso. No te descuides. Si no te cuidás vos misma, nadie lo hará por vos. Tené en cuenta que cada queja es una súplica. Una súplica de atención. Algo no va bien. Descubrilo y soltalo. No cargues mochilas o "cruces" que no son tuyas. Con la tuya ya es suficiente.

No juzgues. Cuando lo hacés, te estás juzgando a vos misma. Sabelo, asumilo como una señal para bucear adentro tuyo, y ver qué te resuena a vos. El otro no tiene nada que ver. Es algo tuyo. Date la oportunidad de transformarlo, de trascender.

No te apegues a nada ni a nadie. Disfrutalo, sí, pero dejalo ir, si eso es lo que surge. No fuerces las cosas ni las circunstancias. Nada, pero nada, vale tu felicidad y bienestar. No dependas de nadie más que de vos. Eso no quiere decir que no ames con toda tu alma, pasión y entrega. Solo quiero decirte que con vos misma también es suficiente. Nadie está para completarte, solo para acompañarte.

Querete, pero querete en serio. Sos lo mejor que pudo pasarte. Disfrutate. No dejes de disfrutar cada segundo de tu vida. Y cuando te encuentres mal, respirá profundo y confiá. Todo va a salir bien. Aunque, aparentemente no cumpla los estándares de lo que "bien" significa para vos en este momento. Ya lo verás con el tiempo, que aquello que pasó tenía que pasar de esa manera, para que hoy seas como sos, con lo bueno y lo malo.

No le tengas alergia al dinero. Ganalo feliz. Recibilo con amor, para que circule y se multiplique para todas y todos. Abundancia. Pensate y sentite en abundancia.

Probá todas las fórmulas que quieras… que necesites… después de todo, está bueno "juntar horas de vuelo". Pero sabé que "la" fórmula que funciona es más simple de lo que creés: intención, esfuerzo y confianza… que todo va a salir bien, que el plan divino es perfecto.

"Bien" está bueno. No te empeñes en la perfección. No existe. Perseguí con ahínco la excelencia, ignorá el éxito. Si estás perdida, hacé de tu brújula estas preguntas: ¿Estoy ayudando a mejorar la vida de otros? ¿Me hace feliz? ¿Es esto divertido?

Hacé una cosa a la vez. Ponele completa atención a cada cosa que hacés. No hables tanto. No llenes los vacíos de otros. Llenate el alma con tu propio silencio. Y quizá sin darte cuenta, también llenes el alma del otro.

No pierdas contacto con tu niña interior. Viví una vida de curiosidad, llena de preguntas, pero no pretendas responderlas. Las res-

puestas llegarán en el momento justo. Preguntate cada tanto: ¿Quién soy? ¿Qué quiero? ¿Cuál es mi propósito? Y dejalas ir, las respuestas llegarán. Te lo prometo. No tengas miedo. Solo convertilo en tu aliado. *Lo necesitás para protegerte ante eventuales peligros de la vida, pero no para paralizarte, sino para apalancarte en él y lanzarte más allá de lo que te creés capaz de hacer. ¿Qué haría en este momento si no tuviese miedo? Vos lo sabés. ¡Hacelo!*

Dejate invadir por la emoción de estar viva. El presente es un regalo. No te asustes de tu espiritualidad. *Somos seres espirituales viviendo en esta vida. Conectarte con tu espíritu, tu centro interior y de poder te ayudará a estar más conectada con tu propósito en la Tierra. Y a relacionarte desde el amor, la compasión, la paz.*

Después de todo, solo se trata de vivir. Existencia, conciencia, dicha. Repetilo, repetítelo cientos de veces.

Tissy, María Gabriela, una cosa más: sé feliz. Honrá la vida.

Capítulo 7

Cadena de favores. Devolver a la vida. Honrarla.

▪ Hacia un liderazgo trascendental y espiritual

> *Seamos el cambio*
> *que queremos ver en el mundo.*
> **Mahatma Gandhi**

> *La compasión, la espiritualidad, la preocupación maternal*
> *y el deseo y la necesidad de paz son, combinados con el feminismo,*
> *la fuerza que puede salvar el mundo*
> **Jean Shinoda Bolen**

> *...Y a medida que permitimos que nuestra luz brille,*
> *inconscientemente les damos a los demás*
> *permiso para hacer lo mismo.*
> *Cuando nos liberamos de nuestros propios miedos,*
> *nuestra presencia espontáneamente libera a los demás...*
> **Nelson Mandela**

¿Y si cada una de nosotras ayudara a otra mujer de alguna manera? ¿Acaso no sentimos todos que tenemos algo que podamos compartir? ¿Alguien a quien podamos ayudar, guiar, acompañar en alguna decisión que tenga que tomar, en alguna aptitud o actitud que tenga que mejorar? ¿O bien en mostrarle el otro ángulo de ese tema que tanto le da vueltas y no encuentra otra mirada?

¿Si cada una de nosotras ayudara a una mujer y esa mujer ayudara a otra?

Tal como lo plantea Trevor, el protagonista de la película estadounidense "Pay it Forward" ("Cadena de favores"), al elaborar un proyecto de ciencias sociales en su colegio, en el que plantea ayudar a una persona de alguna forma, y que esta se lo retribuya ayudando a tres personas más, estableciendo así una secuencia de favores que haría de la vida algo mucho mejor. En fin, rápidamente estaríamos frente a una sociedad distinta. ¿No podríamos comenzar así nuestros propios programas de mentoreo? ¿Nuestros propios círculos de mujeres? ¿Nuestro propio trabajo en red? ¿No podría ser nuestra propia manera de agregar valor, colaborar y ser solidarias?

Estas preguntas fueron las "semillas-deseo" que nos comentaba Marilen, esas que te muestran el camino para nuestras acciones.

Y valga la aclaración: no necesitamos ser "llamadas" a participar de un programa "formal" para empezar. Justamente todo lo contrario. Lo maravilloso de esto es que son herramientas absolutamente a nuestra disposición para apropiarlas y llevarlas a la acción.

¡Esta es mi propuesta! Empezar a recorrer juntas un silencioso pero revolucionario camino de crecimiento, de desarrollo de un liderazgo trascendental y sustentable, para no solo lograr que otras mujeres alcancen su propio éxito, sino para construir ¡una sociedad mucho mejor! ¡Un mundo mucho mejor!

Éxito entendido como todo un proceso, no como un resultado. Personalmente, creo que una persona exitosa es una persona que vive una vida plena, una persona que tiene la capacidad de armonizar todos los ámbitos de su vida sin sacrificar ningún aspecto, manteniendo un desarrollo equilibrado e integral. Como dice Paola Del Bosco en su libro *El desafío de cada día: Quizás el nuevo nombre del éxito podría ser: una vida llena de sentido.*

Una sociedad donde cada una de nosotras ayude desinteresadamente a alguna otra mujer: quizá con un consejo, una nueva mirada sobre su tema, aliento para que inicie eso que tanto le gusta pero no se anima, ese empujoncito para ayudarla a definir el camino a seguir, o simplemente escucharla. Eso es algo sanador. Cada una de nosotras tiene algo para dar. Dar es recibir. Aunque no lo creamos, es así.

Buscá en tu interior qué es lo mejor que tenés y compartilo con otra mujer. Justamente esa posibilidad de introspección, esa sensibilidad de la mujer y esa capacidad de dar son las que nos hacen más efectivas y compasivas a la hora de ayudar a otro.

Incluso se puede ayudar con acciones tan concretas como tendiendo un puente, abriendo una puerta, brindando un contacto, dando buenas referencias, hablando bien de alguien que no está, tomándose el tiempo para explicar cómo se hace determinado trabajo. En fin, hay varias acciones que podemos hacer para facilitarle el camino a otra persona.

Apuesto a que no tendrás necesidad de salir a buscar a quien ayudar. Seguramente se te presentará solo. Si estamos atentas, se nos presenta la oportunidad de ayudar cotidianamente: a una colega, asistente, jefa, cliente, amiga, a la señora que nos ayuda en casa. Solo estemos atentas, escuchemos. Muy probablemente podremos aportarle mucho más de lo que creemos. Incluso nos sentiremos mucho mejor con nosotras mismas al poder ayudar a otro.

Y es así como podríamos generar una conciencia de nuestra importancia para el otro que, tal vez, se vaya convirtiendo en una cultura que incluya la inversión no solo de tiempo y escucha sino de otros recursos, como el dinero y la infraestructura para desarrollar propuestas.

Tengo la firme convicción de que solo crecemos y nos desarrollamos si ayudamos a que los demás crezcan y se desarrollen: este es el descubrimiento que revolucionó mi vida y me obligó a replantear mi actividad, mi forma de pensar y mis proyectos.

Si a los que nos rodean les va bien, a nosotros también nos irá bien. Para crecer personal y profesionalmente, nuestra gente, nuestro equipo, ¡nuestro entorno tiene que crecer también! Y qué mejor que ayudarnos entre nosotros y facilitarnos el proceso.

Lo que más rescato de esta experiencia es que a partir de ella empecé una transformación personal y espiritual en la que priman el dar, el compartir, el hacer para ayudar a otros, ser mejor persona, impactar positivamente y mejorar el mundo, ayudar a las nuevas generaciones... dejar huella...

Como dice Sergio Sinay en su libro Para qué trabajamos: *Trabajamos para trascender. Trascender es ir más allá de nosotros, plasmar el encuentro con otro y, en ese encuentro, enaltecer el espacio en el que existimos, honrarlo, dejar en él una huella que siempre estará ante ojos que la vean. Las verdaderas vocaciones llaman a eso.*

A veces las mujeres dudamos en levantar nuestras manos y hacer escuchar nuestra voz, así como nos cuesta palmearnos nuestros propios hombros. Tenemos que confiar más en nosotras y ser nuestras mejores amigas. Justamente por eso es que me parece tan necesario crear redes de mujeres y potenciar nuestra voz colectiva.

Necesitamos, además, aprender a estar de nuestro lado y no dudar de nosotras mismas, aprender a palmearnos mutuamente los hombros. Celebrar el éxito de la otra, trabajar duro, ayudar a otros, compartir y generar ideas específicas sobre cómo devolver lo mucho que se nos ha dado.

Aprendí que para lograr esta comprensión es muy importante, y lo repito, aprender a palmear nuestros propios hombros y no dudar en utilizar las herramientas de las cuales disponemos para promocionar nuestras propias ideas, nuestra particular e individual forma de ser y expresarnos. Creo que debemos incluir en nuestra vida el marketing personal. En el mejor de los sentidos, aprender a promocionarnos tanto como a felicitarnos por nuestros logros.

Como lo comenté, muchas veces pensé en el fuerte impacto que me causó ver cómo Debbie Fine –mi mentora en aquel programa que inició este cambio en mi vida– apoyaba su gestión mediante acciones de relaciones públicas, comunicación y prensa individuales, independientemente de su organización. Vi claramente cómo la mayoría de las mujeres mentoras en Estados Unidos no tenían ningún reparo en aprovechar el beneficio de esas herramientas.

A esto lo llamo *personal brand* o *marketing personal*. Autopromocionarnos, "creérnosla", pero siempre con humildad. Parece contradictorio, pero no lo es. ¿Cómo se puede practicar la humildad en este contexto del liderazgo? Adoptando una conducta y una mirada permanentes de aprendizaje y compartiendo los propios conocimientos, aprendizajes, sabidurías, sabiendo que siempre se complementan y evolucionan con la participación y la mirada del otro. Teniendo en claro que solo no se hace nada. Somos felizmente dependientes del otro.

Y me gustaría enfatizar la idea de que todas debemos hacerlo. Tal vez, en nuestra cultura, esta posición pueda despertar ciertos prejuicios. Pero creo realmente que debemos dejarlos en el pasado e inaugurar una nueva cultura que refuerce nuestra estima y nuestro desempeño.

Creo, además, que el primer capítulo de esta nueva cultura debe ser que estemos convencidas de aquello que promocionamos y nos pertenece: nosotras mismas.

Esa es la plataforma desde la cual la "cadena de favores" que proponemos se hace, no solo posible, sino necesaria y transformadora de la sociedad.

El "devolver a la vida" alcanza dimensiones de cambios que impactan en la cultura, especialmente en lo que compete a los temas de género, de los cuales ya hemos hablado en capítulos anteriores. E impacta de un modo realmente transformador.

Como ya dije, tuve la suerte de ser parte del foro que elaboró el modelo de liderazgo de Vital Voices, mediante una sistematización de rasgos que se repetían en las mujeres líderes integrantes de la red. Creo firmemente que el punto que nos ocupa, el *pay it forward*, es una estrategia de cambio y mejoramiento de las relaciones humanas y del mundo. Un aporte concreto al crecimiento y a la convivencia pacífica entre las generaciones.

Haber participado de los programas de Vital Voices Global, como ya lo he dicho, fue un punto de partida que organizó mis experiencias, aun las anteriores a mi intervención, bajo un objetivo común que se transformó en mi *driving force*, mi fuerza impulsora.

Primero comprendí que la confianza en uno mismo, el trabajo en redes de mujeres, el mentoreo, el desarrollo de nuevas capacidades y el poder identificar mis fortalezas eran todo lo que necesitaba para mejorar mi vida, personal y profesional.

En un segundo momento, entendí que cuando una mujer comprende su propio valor y descubre su potencial, su talento finalmente se devela y ella comienza a crear algo significativo para sí misma, su empresa, para la sociedad y para el mundo.

Y finalmente, comprendí que en el momento en que el proceso comenzaba… mi perspectiva de mi misión personal comenzaba también a transformarse y a transformarme a mí misma.

Como ya comenté, he dedicado los últimos veinte años de profesión a la comunicación corporativa, en y para grandes compañías, y ahora he descubierto que mi verdadera pasión, mi fuerza impulsora, esa fuerza que hace que me levante cada mañana motivada, con pasión y energía por mi trabajo, lo que realmente siento desde mis entrañas, es ayudar a otras mujeres a que descubran su propio valor, inspirarlas a que se empoderen a sí mismas, para que puedan develar todo su potencial, y así ser ellas mismas las que empoderen a otras para lograr un círculo virtuoso sin fin...

Llamémoslo *reacción en cadena benéfica, círculo virtuoso, cadena de favores, devolver a la vida, honrarla...* como queramos. Lo importante no es el nombre, sino experimentarlo, llevarlo a la realidad. He focalizado mis actuales proyectos en esta energía que me mueve y apasiona.

Decidí crear y encarar mis emprendimientos y proyectos en esta dirección. Proyectos que transmitan el poder del liderazgo de las mujeres, las herramientas del mentoreo, del trabajo en redes y del *networking*. Programas dedicados al desarrollo del potencial de liderazgo de las mujeres, a descubrir el poder interior y la esencia de cada una.

Y esto lo hago mediante diferentes emprendimientos que requieren de mí diferentes tipos de participación y energía.

Voces Vitales de Argentina no solo surgió como un modo de pay it forward, un retorno de todo lo que había experimentado y recibido, sino, y sobre todo, como la genuina convicción de querer participar en la transformación de otras mujeres. Las diez mujeres que participamos en el programa trabajamos muy duro para lograr que, a través del mentoreo y los programas de capacitación, pudiéramos impactar en más de diez mil mujeres de nuestro país y más allá también. Sigo colíderando la iniciativa con la misma pasión y energía que el primer día. Su crecimiento y accionar me llenan de satisfacción, de orgullo, y me siguen sorprendiendo año a año.

Un párrafo aparte merece el desafío adicional que se me presentó cuando les conté al Directorio y al Consejo Asesor la idea de mi proyecto familiar y la mudanza internacional. Jamás olvidaré las caras de decepción. Por lo bajo se escuchaba: Adios, *Voces Vitales...*

Esto quedó acá… hasta acá llegamos… Esas palabras me impactaron negativa y tremendamente… Fui contundente: Chicas, si pensamos que a esta organización la llevo adelante yo sola, algo estoy haciendo mal… Si a esta organización no la construimos para que trascienda a las personas que la dirigen momentáneamente, algo estamos haciendo mal…

Y si bien fui contundente en mis palabras, por dentro temblaba de miedo e incertidumbre… Sabía que me esperaba un desafío enorme, un año de muchísimo trabajo en la construcción de una red fuerte, sólida, sana, con ganas y motivación de continuar… un equipo de trabajo con las "camisetas" de los programas bien puestas.

Y así fue. Generamos una obra que trasciende a las personas que la lideran. Por supuesto que no sin tropezones, dolores de cabeza, y sinsabores varios… Obvio: es la sal de la vida. Pero no puedo explicar con palabras el agradecimiento y el orgullo que siento por cada una de las mujeres, y de los hombres también, que hicieron y hacen de esta humilde y sencilla idea un gran proyecto y una plataforma de acción donde las mujeres nos encontramos fortalecidas y unidas en red para desplegar nuestros talentos y hacer espacio para todas y todos.

No pude contener mi genio ni la tentación de echar a andar la rueda para desarrollar una comunidad de Vital Voices en Miami, para apoyar a toda la región latinoamericana y del Caribe.

El lanzamiento formal de la comunidad sucedió en la fecha que tenía que ser: el Día Internacional de la Mujer. Alrededor de cuarenta mujeres líderes provenientes de diversos ámbitos se hicieron presentes en mi casa, que para esa altura –a dos años de haber llegado– ya tenía calor de hogar.

Ese día nos propusimos todas un objetivo: el próximo Día Internacional de la Mujer nos volveríamos a encontrar, pero esa vez lo celebraríamos con una Caminata de Mentoreo, la primera en la ciudad de Miami.

Conservo en mi escritorio una hermosa tarjeta de agradecimiento que me envió una de las invitadas y que refleja lo que ocurrió en aquel encuentro: *Gracias, María Gabriela, por invitarnos a un almuerzo tan inspirador en el cual pudimos aprender sobre las iniciativas de Vital Voices y comenzar a consolidar una red de mujeres líderes interesadas en el desarrollo del liderazgo femenino en la región de Latinoamérica y Caribe. Fue un gran placer conocer a ese grupo extraordinario de mujeres y sentir la energía del salón.*

Uno de los encuentros a destacar que tuvo la red de Vital Voices en Miami fue la visita de Gabriela Terminielli, vicepresidenta del Comité Ejecutivo de Voces Vitales Argentina, en la cual compartió una síntesis de su tesis "La felicidad en el trabajo": *...Las emociones y los estados de ánimo juegan un papel fundamental en el ejercicio del liderazgo y la promoción de la felicidad (...); los estados de ánimo positivos dan lugar a una percepción más favorable de los demás y también de los hechos. Esto contribuye a que la persona se sienta más optimista sobre su propia capacidad de alcanzar el objetivo, fomenta su creatividad, la capacidad de tomar decisiones y predisponerse a trabajar con los otros.* Y remató: *Las personas que saben controlar su experiencia interna son capaces de determinar la calidad de sus vidas.*

Felicidad, estados de ánimo positivos, experiencia interna... Todas estas palabras ya resonaban en mí...

Disfruto y me dejo sorprender cada día un poco más. El trabajo en red con mujeres es extraordinario, y nunca sabés dónde empieza ni dónde puede terminar...

Ahora también acepté la invitación de Jean Shinoda Bolen, planteada en su libro *El millonésimo círculo*, no solo para crear mi propio círculo de mujeres con centro espiritual sino para difundir la creación de círculos de mujeres. Mientras más círculos haya, más sanación y paz habrá en el mundo.

Tal como lo cuenta Bolen, estos círculos invitan al mundo del alma y del espíritu a estar en el centro del círculo y en cada persona que lo compone. Es una experiencia de conversación igualitaria, en la que no existe la jerarquía, y se comparten las ideas, necesidades, sentimientos, preocupaciones, esperanzas. Las personas son escuchadas con empatía, sin juicios, con compasión y confidencialidad. Cuando una cuenta con ese aliento y verdadero apoyo a la hora de encarar un cambio significativo, es mucho más probable que el cambio acontezca.

En sus propias palabras: *No te detengas simplemente porque no ves que el hacerlo cambie nada. Confía en que cuando eres generoso, cuando ves que se hace justicia, o cuando haces que cualquier persona de este mundo sea más feliz, o cualquier lugar de la Tierra más hermoso, estás contribuyendo a la paz.*

Este libro que estás leyendo fue otra de las maneras que surgieron para compartir mis reflexiones sobre todo lo transitado... Y cómo ese cambio tuvo un gran impacto no solo en mí, sino en un gran número de mujeres en mi país y en Latinoamérica.

Estoy segura de que, si en tu corazón habita la semilla de la participación y el cambio, del liderazgo con sentido, conocer mi experiencia puede ser la motivación que necesitabas para animarte a hacer eso que ya entendiste que querés hacer. Animarte a soltar tu propia voz. A recorrer un camino de introspección para encontrar tu poder interior. Somos muchas las que estamos dispuestas a ayudarte.

Estoy convencida de que participar en redes como la nuestra, compartir ideas y opiniones, intercambiar problemas y soluciones con otras mujeres y mentorearnos unas a otras, es la mejor estrategia para desarrollarnos. Esto logrará hacer crecer nuestra autoestima, imprimir valor a nuestros aportes donde sea que se proyecten, empoderar a otras y autoempoderarnos.

El mentoreo es importante para todas las personas, pero especialmente para las mujeres, pues durante siglos hemos sido relegadas a segundos y terceros lugares, cuando de liderazgo se trata. Una mentora que te guíe, que te ayude a organizar tus desafíos profesionales y escuche tus ideas y sugerencias, es increíblemente útil. Cuando asistí al Programa Global de Embajadoras de Vital Voices Global, en Ciudad del Cabo, Sudáfrica, la mejor sugerencia de mi mentora Anne Veneman, exdirectora ejecutiva de UNICEF, fue que enunciara y escribiera mis desafíos y objetivos uno a uno, paso a paso, y que de esa manera les dirigiera mi energía, uno a uno; y una vez que hubiera encaminado esos proyectos, los delegara en equipos de trabajo idóneos.

Delegar, esa fue la palabra mágica, habilidad que tuve que adquirir y que tanto me costó y nos cuesta a algunas mujeres. Ella me mostró cómo pensar mis desafíos y los próximos pasos en el corto, en el mediano y en el largo plazo. Sentarme con ella y hacer un mapa del presente y el futuro de mi trayectoria, de mis planes y proyectos. Me ordenó, me motivó y me ayudó a creer en mi misión y en mi visión de mí misma.

Más allá de todas las cosas valiosas que me transmitió, creo que lo mejor que Anne me brindó fue poder ver en ella, en el tiempo que compartimos, lo que es ser generosa, abierta, empoderar a otra mujer, tener valores, estar focalizada en la amistad, disfrutar de la vida y cuidar de aquellos a quienes amamos. Esta experiencia con esta mujer –y aprovecho aquí, una vez más, para honrar a todas mis mentoras pasadas, presentes y futuras– fue otro regalo de la vida para mí.

Estoy segura de que en cada evento que reúne a un grupo de mujeres hay muchísimas mentoras y aprendices, así como mucho talento para compartir, nutrirse y enriquecerse mutuamente. Dicen que cuando las mujeres se juntan cosas increíbles y maravillosas suceden, y les aseguro que, en nuestro caso, nunca hubo una excepción.

Una de las maneras que tengo de compensar mis debilidades y alentar mis fortalezas es conectándome con personas que son expertas en aquello en lo que yo no lo soy, creando y facilitando redes para empoderarme y empoderar a otras, comunicando aquello que hago bien y reforzando aquellos aspectos en los cuales necesito mejorar. Y ocurre que cuanto más confío en mí, más preparada estoy, más poderosas son mis fortalezas.

Mi actitud actual es estar alerta en la búsqueda (y la aparición) de socias, mentoras y aprendices. Ver cómo puedo empoderar a alguien y cómo alguien puede empoderarme a mí. Para mí, ese es el secreto del éxito... Sin olvidar nunca que el éxito está en el camino y no en el destino al cual me dirijo... y, sin duda, ese camino es lo más interesante. Hay una frase de Buda que me resulta más que inspiradora: *No existe el camino a la felicidad, la felicidad es el camino.*

Y finalmente, subrayo que comprendí que el poder proviene del interior de uno mismo y, recién ahí, se lo puede ejercer efectivamente afuera. Por eso amo la palabra *empowerment* (empoderamiento; la traducción suena rara cuando se la escucha por primera vez). Es un concepto esencial para el crecimiento personal y profesional de cada una de nosotras.

Y digo "esencial" porque "empoderarse" me remite a conectarme con mi poder interior, a tener un contacto profundo con mi SER, con mi esencia; me lleva a la autoaceptación, la confianza en mí misma y la abundancia del universo. Me conecta con la libertad y la paz interior.

¿Cómo me conecto con mi poder interior? Estando presente. Yo soy. Yo estoy. Yo puedo.

Lo convertí en mi mantra: poder interior... poder interior... poder interior...

¡Probalo!

Liderazgo espiritual

Tuve la fortuna de poder conversar con Eduardo Chaktoura[21] sobre el último capítulo de mi libro, en mi casa, a diez días de su inesperada y triste partida. Traigo a colación esta historia porque me dejó varias enseñanzas que quisiera compartir con vos. El entusiasmo que tenía por el lanzamiento inminente de su libro *Inteligencia espiritual* hizo que lo recibiera y abriera las puertas de mi casa para que realizara una presentación previa frente a treinta amigas. Nos deleitó con su carisma y sus enfáticas aseveraciones sobre atrevernos a vivir la vida que queremos. Que era posible. Que solo se requería nuestro compromiso. Nos inspiró a desarrollar nuestra propia inteligencia espiritual, que es precisamente la capacidad de conocernos verdaderamente a nosotros mismos, así como a trazar la dirección de nuestra vida y saber atravesar las circunstancias que nos tocan. Que saldríamos fortalecidas y que lo mejor de todo es que la oportunidad para el cambio depende de nuestra voluntad y de la actitud con la que nos dispongamos a vivir. Quienes más entrenen su creatividad, flexibilidad y perseverancia más probabilidades tendrán de acumular riqueza espiritual.

Sin saberlo, ese encuentro fue el empujón final que necesitaba para darle forma en mi cabeza al último capítulo de este libro.

---

[21] Eduardo Chaktoura murió de un infarto a los 43 años, el 7 de marzo de 2015. Psicólogo egresado de la Universidad de Palermo y periodista por la Universidad del Salvador, en sus últimos tiempos se destacó como columnista en los programas "Lanata sin filtro" y "El diario de Mariana", por Radio Mitre y El Trece respectivamente. Escribió varios libros: *30/40, la gran oportunidad, Diccionario emocional* y *¿Qué ves cuando te ves? Inteligencia espiritual*, su obra póstuma. En los medios, comenzó trabajando como productor periodístico en Artear y luego en América. También se desempeñó como docente en la Universidad de Palermo y fue columnista en el diario *La Nación*.

Pues si bien sabía que trataría sobre la cadena de favores, el honrar la vida y el liderazgo trascendental, había algo más, y no encontraba la manera de unirlo.

En el cafecito final que nos tomamos cuando todas se fueron, le comenté sobre mi libro, acerca de qué trataba y del desafío que tenía por delante para englobar todo lo que daba vueltas en mi mente y en mi alma.

Que no solo era hacer, sino ser; y no solo con pasión, sino también con compasión. Que no solo era empoderar, sino empoderarse. Que no solo se trataba de conocer, sino de conocerte, adentrarte, sumergirte en un trabajo de introspección. Que el entusiasmo no era porque sí, sino por la vida en sí, por devolverle a la vida lo mucho que nos había dado y en honrarla con mayúsculas.

Que todos tenemos en común que queremos ser felices, que la felicidad nace de la gratitud, que todos podemos encontrar nuestro método para vivir en gratitud. Que esto es el éxito, la felicidad y la armonía que intentamos lograr en todos los aspectos de nuestra vida, aunque no lo logremos...

Una vida llena de sentido, de significado, de trascendencia, de tus acciones, del legado que dejás en el mundo... Y que se trata de desarrollar tu inteligencia espiritual, tu liderazgo espiritual...

Le dije que el título de su libro me parecía maravilloso...

Me escuchó con atención, intercambiamos ideas y nos entusiasmamos mutuamente. Me alentó a seguir con la tarea y me dijo que me ayudaría incluso a publicarlo... Eso no pudo pasar... Aunque quizá sí, desde donde esté... nunca lo sabremos.

Su libro llegó finalmente a mis manos por casualidad, aunque hace rato que no creo en las casualidades sino en las causalidades, y más aún en las sincronicidades. Me lo devoré en un día. Y cuando seguía compungida rememorando nuestra conversación de apenas seis meses atrás, con sus gestos y su voz, me di cuenta de que ese día hubiera sido su cumpleaños. Se me erizó la piel. Mi humilde homenaje es alentarlas a leer su obra maestra.

Como él mismo escribió en su epílogo, *no sé qué ocurrirá a partir de ahora, pero tengo la sensación de haber cumplido un objetivo... Me entrego a lo que vendrá. Puedo imaginar muchas cosas que podrían ocurrir a partir de este momento, pero intento detener mi mente y volver a estar plenamente presente aquí y ahora en estas últimas líneas. Es el final de un nuevo comienzo.*

Ahora, nuestro gran desafío, o por lo menos el mío, es integrar / fusionar el empoderamiento de mujeres, la inteligencia emocional y la inteligencia espiritual, donde la naturaleza humana se transforma y enciende la chispa de luz para un liderazgo transformador, transcendental, un liderazgo espiritual...... Manifestar una existencia con propósito evolutivo...

Gabriel Avruj[22], en su pequeño pero poderoso y contundente libro Liderazgo espiritual, lo define sencillamente como hacer que la vida tenga sentido, recordar el motivo trascendente por el que estamos aquí y fluir con esa energía transformadora.

En sus palabras, *la clave es convertirse en líder de uno mismo. Estar enfocados en la visión en la que nos gustaría vivir y actuar coherentemente con ella. Solo así lograremos ayudar eficientemente a otros (...). Muchas veces, para creer que esto es posible, necesitamos vernos reflejados en las experiencias de otros. Podemos inspirarnos y pensar: "Si tú puedes, quizá yo también pueda. Tú me das esperanza".*

Y remata: *El liderazgo es espiritualidad en acción. Adquirir la oportunidad de ser un modelo para otros acarrea gran responsabilidad,*

---

[22] Gabriel Avruj, autor junto a Pablo de la Iglesia del libro Liderazgo espiritual, desarrolla una amplia y fructífera actividad internacional en torno a la paz y la unidad. Como emprendedor social y activista spiritual, es pionero en temas de integración y conciencia. Capacita y motiva para el liderazgo de uno mismo. Tiene una apasionante experiencia de vida resiliente. Vive en Buenos Aires, Argentina.

pero es el mayor servicio que podemos brindar... Un líder no es quien tiene más seguidores, sino quien es capaz de formar más líderes...

¿Cuántas veces te habrás preguntado o habrás escuchado la pregunta: Líder, ¿*se nace o se hace?* Ambas cosas. Sin duda, para mí el líder nace y también se hace, se va desarrollando, se va construyendo...

Todas somos líderes, tenemos que buscar en nuestro interior, desarrollar nuestros talentos, llevarlos a la máxima potencia, autorizarnos y desplegar nuestros dones para aportar y contribuir con nuestra única e invalorable gota de agua al mar, pues sin ella el mar tendría una gota menos, tal como lo dijo la madre Teresa de Calcuta.

■

Hacia el interior: el arte de la introspección. El arte de conocerte

Esta aventura, en teoría, estaría llegando a su fin...

Un viaje que incluye una amorosa invitación a transformar, a transformarte, así como el gusanito se transforma en una hermosa y colorida mariposa luego de la metamorfosis. Una invitación a concientizarnos, a reflexionar, a comprometernos, a responsabilizarnos, a descubrir, develar, registrar, alcanzar a ver aquello que no estaba tan claro. Una invitación a sublimar, a enaltecer, a exaltar y exaltarnos, a compartir, a repartir, a distribuir y, sobre todo, una invitación a despertar, a despertarnos, a iniciar una etapa positiva tanto en nuestra vida como en la de los demás.

Este ensayo no estaría completo ni sería genuino si no compartiera contigo parte de mi trabajo introspectivo, aspecto que considero fundamental y poderoso para que el empoderamiento interno acontezca...

Últimamente, mis encuentros de *mentoring* invariablemente devienen en develar, compartir parte de mi trabajo introspectivo; cómo fue que pude bajarme de mis tacos, sacarme el traje anquilosado, y empezar a disfrutar de esta aventura que es la vida misma. Todo resonaba y resuena en mi interior... Toda esta aventura, las experiencias, palabras, ideas, frases sueltas y no tan sueltas... Felicidad, agradecimiento, autorizarme internamente... conocerme bien, escucharme... La naturaleza de tu fuerza interior es tu centro... tu centro es tu fuerza interior, donde residen tus fortalezas, tus características principales, tus peculiaridades, tus atributos... Podrás reconocer tu autoridad interna reconociendo tus características únicas... Tu poder interno se refleja en el poder externo... Tu autoridad interna es la que te dirigirá.

De eso se trata, de ir pasito a paso por este camino de trabajo y evolución interior que inevitablemente también se proyectará en el exterior.

Imposible abstraerse de las palabras de Gloria Steinem en *Revolución desde adentro: En algún momento entre mis 30 y 40 años comencé a sospechar que podría haber un centro interno de poder que yo estaba descuidando. Aunque el modo en que yo había crecido me había alentado a situar el poder casi en cualquier parte menos dentro de mí misma...*

Sí, claro, se puede tener poder externo, pero si no se lo acompaña con un poder interno, no será auténtico, sustentable, duradero.

Mi trabajo introspectivo empezaba a cobrar vida...

Sentido, significado, propósito

Diez años atrás –recuerdo la fecha exacta porque fue en el posparto de mi tercer hijo, Benicio– fui a ver a una analista junguiana, justo cuando estaba empezando a cuestionarme si mi verdadera vocación profesional estaba siendo satisfecha.

199

Esto fue precisamente antes de que aparecieran las Voces Vitales en mi vida…

Me presenté puntual, enfundada en mi trajecito negro preferido, con mis tacos altos predilectos. Me recibió una mujer que aparentaba unos sesenta y cinco años, con ojos sabios y una hermosa sonrisa de par en par. No estaba acostumbrada a esas sonrisas. Me incomodó. Pero como había sido bien recomendada, entré. Con esa hermosa sonrisa en su cara, me invitó a que me sacara los zapatos. *¿Yo, bajarme de mis tacos? ¡Jamás!*, pensé.

Pero ahí nomás me los saqué y los acomodé prolijamente en la puerta de lo que aparentaba ser su oficina. Me sentía rara, pero bueno, ya estaba ahí. Y lo "peor" estaba por venir. Su oficina era una sala vacía, que solo tenía almohadones de colores bordeando las paredes. *¿Dónde nos vamos a sentar?*, pensé, angustiada ante semejante experiencia junguiana. Ahí me di cuenta de que los almohadones eran los sillones que nos esperaban para comenzar la sesión. Una sesión que no terminó hasta el día de hoy.

Quizá por eso hoy quiero ayudar a bajarse de los tacos a otras mujeres que tal vez lo necesiten tanto como lo necesité yo…

Así fue como empecé a sumergirme en el arte de conocerme a mí misma. Encontrarle un significado a lo que hacía… No solo el "¿por qué?" sino el "¿para qué?". Un propósito que me alimentara a seguir impulsándome hacia mi cometido. Si bien el significado es relevante para hombres y mujeres, para varios especialistas son más las mujeres que buscan tener un trabajo significativo e identificar el propósito de lo que hacen.

En mi caso, llegó un momento en que ya no encontré más placer en hacer prensa, comunicación y eventos para proyectos corporativos. De a poco empecé a hacer lo que más me inspiraba y sentía que quería hacer: darle prensa, comunicación y visibilidad a temáticas que para mí tenían sentido. Comencé a elegir a los clientes con los que quería trabajar y las causas en las que me quería embarcar.

Como lo afirma el dicho, "cuando el alumno está listo, aparece el maestro...".

Esa mañana de principios de abril de 2007 amaneció lluviosa... (para las lectoras distraídas, esta frase nos remite al Capítulo 1; siempre me gustaron las películas que empezaban por el final o que en el final me remitían al principio).

Y asomó a mi vida la semilla que germinaría en mí: encontré mi sentido, mi propósito, mi voz en el empoderamiento de mujeres.

Aportar mi granito de arena para que cada vez seamos más mujeres las que tomemos conciencia sobre el valor de nuestra participación en la sociedad, y de que todavía nos falta mucho para lograr una verdadera igualdad de derechos y oportunidades, se convirtió en mi misión y cobró todo un significado para mí.

Previamente hubo cuatro semillitas más...

Analizando retrospectivamente, cada uno de mis hijos trajo su pan y otros regalos bajo sus bracitos. La llegada de cada uno de ellos coincidió con etapas y ciclos fundamentales de mi vida. Etapas que me ayudaron a hacer balance, a replantearme dónde estaba, con qué me quería seguir comprometiendo, qué quería agregar o descartar en mi vida.

Bautista y Conrado, mis mellizos que estrenaron el nuevo milenio, bien taurinos, me trajeron la bendición de la maternidad, la felicidad de ser mamá, de ser padres, y me alentaron a conformar una familia. Me trajeron la energía de la unión familiar y me ayudaron a empezar a priorizar los diferentes ámbitos de mi vida, a colocar cada cosa en su lugar.

Benicio, capricorniano, nació seis años después que sus hermanos, y vino con los Reyes Magos. Me regaló el inicio de mi camino interior, de una búsqueda hacia adentro y de empezar a flexibilizarme.

Las cosas no eran solo blancas o negras... tenía que empezar a reconocer ciertos matices...

Esmeralda, otra taurina, nació tres años después que Benicio. Llegó de la mano de las mujeres líderes, de las Voces Vitales. Vino a completar el regalo de Benicio, otorgándome la energía de la reconciliación con mi femineidad y el cerrar una etapa tan inclinada hacia el afuera y la acción (cosas relacionadas con el principio masculino en términos psicológicos). Vino a iniciarme en el camino de conectarme con las emociones, con los sentimientos, con mi espiritualidad, con mi esencia divina...

Recuerdo que siempre odié el color rosa y tampoco me gustaban los moños. Prefería trajes negros, grises y azules, pelo suelto. Para mi sorpresa, disfruté de comprar todo rosa para Esmeralda. Su color preferido es el verde... Ahora es ella quien odia el rosa. Le compré media docena de vestidos de princesa, que yo nunca tuve ni me interesó tener, y ya me di cuenta de que a ella tampoco, se disfraza de Hombre Araña, Batman y Flash. Guiños de la vida. Me hace seguir trabajando mis propios mandatos y estereotipos culturales. ¿Por qué me empecino en que le guste el rosa y se disfrace de princesa?

La esperábamos todos felices. Estuvo en mi vientre durante uno de los momentos más intensos y significativos de mi vida profesional. Uno que marcaría el destino que hoy tengo. En ese entonces no sabíamos qué sexo tenía el bebé. Pero todas las mujeres de la cumbre regional que se estaba llevando a cabo no dudaron en decir: Es mujer. Una futura líder. Y lo fue. Mujer, digo. Líder, lo decidirá ella. Por mi lado, sinceramente sin expectativas. Cada vez estoy más convencida de que primero hay que liderarse uno. Conocerse bien, saber lo que se quiere y desarrollar la propia definición de éxito.

Según Anselm Grün, un monje benedictino alemán que se cruzó por mi camino, experimentado maestro espiritual y gran conocedor de la obra de Jung, uno de los pilares para superar la crisis de la mitad de la vida tiene que ver con integrar el anima y el animus, símbolos de lo masculino y lo femenino, lo maternal y lo paternal. Jung plantea que en esta profunda crisis de la existencia se cuestiona el sentido del todo: *¿Por qué trabajo yo tanto?, ¿por qué me ajetreo tanto sin encontrar tiempo para mí?, ¿por qué, para qué, para quién?... La pregunta por el sentido ya es una pregunta religiosa. La mitad de la vida es esencialmente una crisis de sentido y, por ello, una crisis religiosa. Esconde latente la ocasión y posibilidad de encontrar un nuevo sentido a la vida.*

A veces las cosas se dan al mismo tiempo: una gestación, un momento de desarrollo introspectivo y espiritual, un proyecto extraordinario de la mano de una vorágine de trabajo desmesurado...

Uno busca permanentemente el equilibrio. ¡Pero es súper difícil! ¿Cómo hacer para aminorar la marcha, la intensidad del trabajo, poder balancear esto con un camino más interno, más tranquilo, más de pensar, más de disfrutar las cosas, más espiritual? ¿Cómo dar tiempo a las cosas que para uno son verdaderamente importantes en la vida?

Empecé a entender que la vida se compone de etapas, procesos. Quizás este fue el aprendizaje más difícil para mí, en el sentido de que tuve que apaciguar mi ansiedad, entender que todo es un proceso, que los tiempos de cada uno son diferentes, más allá de que seamos una familia, un equipo y vayamos hacia la misma dirección o misión... No son iguales las energías, ni las fortalezas, ni las debilidades, ni la motivación, ni la disponibilidad. Y allí también encontré la riqueza.

Como dice Warren Buffett, *no hay nueve madres que puedan hacer un bebé en un mes.* Hay que confiar en los procesos y tiempos de cada uno.

Y aquí es donde me parece que el trabajo introspectivo cobra extremada relevancia. Es más humano que desde los espacios profesionales también estemos atentos a respetar los tiempos y procesos internos y privados. El ser humano tiene el derecho y la responsabilidad de desarrollarse integralmente, de llegar a su máximo potencial, de sentirse al ciento por ciento en su vida.

También es cierto que no se pueden saltear etapas, que cada paso que uno da es necesario para el ciclo siguiente. Es parte de la maduración que se requiere para avanzar. Pero hay que estar atentos a cada paso, pues podemos perdernos en la vorágine, y dejar pasar momentos clave para nuestro desarrollo y evolución personal, momentos necesarios para elaborar y madurar lo que hay que madurar. Estar atentos, porque se nos puede pasar la vida sin darnos cuenta, sin brindarnos la oportunidad de crecer como seres humanos, sin experimentar una serie de cuestiones que son justamente las que tienen el potencial de llevarnos hacia lo que estábamos buscando. Algunos lo llaman éxito, otros, felicidad, paz, armonía… Sentido, significado, propósito.

Si me hubieran preguntado veinte años atrás si proyectaba tener hijos, habría respondido con un rotundo NO. Que no estaba en mis planes inmediatos, que quizá podría llegar a contemplarlo más cerca de mis cuarenta años, y que, de ser así, no tendría más que un hijo.

Fue una sorpresa mi embarazo gemelar, a mis veintiocho años, con mi novio de seis años con quien planeaba ya mudarme. Claramente esto aceleró los planes de convivencia, matrimonio, familia. Y mirando hacia atrás, fue lo mejor que me pasó en la vida.

Planifiqué mis otros dos embarazos. Esta vez no me tomarían por sorpresa. Como ya comenté, un capricorniano y una taurina. Más tierra para este hogar lleno de fuego. Me trajeron lo que necesitaba. Los taurinos, signos de tierra, son fijos e introvertidos, además de ser también femeninos. Capricornio, signo basado en la racionalidad y en la capacidad de síntesis, uno de los que se centran en su yo interior. ¿Designios del destino? Experimenté esa sensación que tenemos miles de mujeres de sentir que debemos optar, elegir entre profesión o maternidad. Me sirvió mucho empezar a repensar mi vida profesional no como una carrera, sino como una trayectoria. Me resulta más humano. Ya no corro más. Lo que hago es lo que quiero hacer. Lo que vine a aportar al mundo. Ese pedacito o esa gota de agua al mar. Nada más, ni nada menos.

¿Cómo darnos cuenta de que estamos relegando decisiones sobre temas personales importantes? Nos llamo a la atención en este punto, para que no nos encontremos en diez años sin haber hallado el "momento ideal" para .... (llená el casillero con lo que hace rato venís diciendo que querés hacer pero postergás porque no es el momento indicado).

En mi caso, no tenía tiempo de cuidarme la salud, hacerme chequeos regulares, dejar una vida sedentaria, comer sano, visitar a amigas queridas, hacerme una escapada a ver a mi abuelita en Córdoba, cultivar algún hobbie, y mucho, mucho menos tiempo, para pensar en conformar una familia.

A veces el cuerpo, que es totalmente sabio, nos avisa con ciertas molestias, con su propio lenguaje, que algo no está bien, que tenemos que aflojar. Y ni siquiera nos percatamos de que nos está hablando.

Empecé a darme cuenta de que mi acidez, mi gastritis, mi cistitis, mis contracturas eran las maneras en que mi cuerpo me avisaba que estaba manejando mal mis emociones, que me estaba haciendo daño, que tenía que aflojar tanta exigencia. Eso me llevó a mi "experiencia junguiana".

Proceso, fluir, aceptar, confiar, integrar, poder, influencia, angustia, insatisfacción, frustraciones, exigencias, expectativas, existencia, traiciones, envidias, resentimientos, energías, son palabras y conceptos que pude procesar, interpretar y resignificar desde un camino más alternativo, más filosófico, más espiritual que desde la lógica del management.

Conciencia, pasión, "com-pasión"

Siempre pensé que quien tiene pasión no necesita nada más. Pues con pasión uno se reinventa. Uno puede convertir su pasión en su profesión o, aún más, en su *leit motiv*. Hacer con pasión. Pasión por hacer. Mi propio eslogan durante años fue: "Acción, pasión, resultados". Una vez leí que a las personas se las recuerda no por lo que hicieron, sino por su pasión. Pasión con mayúsculas. Y sí, es cierto, creo que la pasión mueve montañas...

Pero con los años aprendí que también nos podemos perder en y con la pasión. Perdernos en el hacer por hacer, en el correr por correr, en el ganar por ganar, en el ir con la corriente solo porque para allá va...

Sin duda hay que hacer, generar resultados concretos, mostrar logros que solo se cristalizan cuando hay pasión, entusiasmo, dedicación y perseverancia. Pero es justamente en esa vorágine que podemos correr el riesgo de perdernos, de distanciarnos de lo importante por lo urgente, de perder el sentido, el propósito, y lo que es peor, de hacer las cosas por el mero hecho de hacerlas, de correr sin parar como en una rueda de hámster, sin saber por qué, para qué, qué era lo que me motivaba a esto. Dejando de lado sentimientos, cuidados... y hasta quizá dejando heridos en el camino a colaboradores, hijos, pareja, amigos, o a quien fuere...

Creo que estar consciente, estar presente, es una de las respuestas para no perdernos en esa pasión y, aun más, creo que una respuesta superadora es equilibrarla con la "com-pasión". La palabra compasión proviene del término *cumpassio*, que significa "acompañar". La compasión es considerada uno de los sentimientos más humanos que puedan existir ya que significa que una persona puede, incluso involuntariamente, ponerse en los zapatos del otro, acercarse, acompañar al otro, un otro que sufre o que está angustiado o que necesita algo, sin tener que pasar necesariamente por la misma situación.

No me resultó tan fácil encontrarla. En el torbellino de la actividad es imposible. Hay que buscar espacios de silencio, donde pueda aflorar la conciencia.

No vaya a ser que con la excusa del "hacer", la "pasión", el "deber", descuidemos el "ser". Cuando sientas que esto pasa, es realmente un síntoma que hay que atender; pero la buena noticia es que estás atenta, despierta, con conciencia.

Mi humilde consejo, si te sentís un poquito identificada con algo de todo esto: "Pará. Pensá. Reflexioná". ¿Hago esto porque quiero? ¿Lo necesito? ¿Lo quiero de esta forma? ¿Solamente se puede hacer de esta manera?

En los peores casos, no nos damos cuenta. Quizá ya es demasiado tarde cuando empezamos a vislumbrar que algo no anda bien. Posibles formas de darse cuenta: ¿Llego tarde a todos lados? ¿Siento que le debo "una vela a cada santo"? ¿Corro todo el día de acá para allá? ¿Me siento permanentemente exigida, teniendo que demostrar o, peor, que "demostrarme" que puedo? ¿Me pongo de malhumor frecuentemente? ¿Me altero por cualquier cosa? ¿Jamás encuentro el tiempo para hacer algo para mí? (solo para mí, no para mis hijos, marido, padres, amigos). ¿Trabajo durante el fin de semana? ¿Me siento esclava de los aparatos electrónicos? ¿Tengo problemas de relación con las personas con las que interactúo? ¿Soy adicta al trabajo, al "hacer"? ¿Puedo quedarme quieta, sin "hacer"?

He notado que justamente las personas señaladas muchas veces por nuestra sociedad y cultura como "líderes" y "exitosas" (y lo pongo entre comillas), si bien logran resultados visibles, crean emporios, megaorganizaciones, y generan un gran valor agregado a la sociedad, trascendiendo con sus acciones... ¿Logran estas cosas a costa de su propia trascendencia? ¿Significado? ¿Felicidad? ¿Relaciones? ¿Salud? ¿Vida? Y entonces, ¿son modelos de liderazgo que me inspiran?

Muchas de las personas a las que admiraba en la primera etapa de mi vida profesional hoy son personas que quizá me inspiran, pero a ser totalmente diferente. Y no lo digo con desdén. Lo pienso y lo digo desde estar conectada con mi propio ser, con mi autenticidad, con quien quiero ser realmente, sin copiar o imitar algo que no soy yo.

O que ya no soy... O, por lo menos, que intento no ser...

No lo señalo desde el otro lado de la mesa. No. He estado ahí. Me identifico con esas personas a las que mencioné. Me siento una adicta en recuperación. Tengo que recordarme permanentemente: ¿esto lo hago por mí o por los otros? ¿Lo hago a expensas de mis afectos? ¿Descuido lo más importante? ¿Qué me hace feliz? ¿Cómo calmo mi ansiedad por trabajar? ¿Cómo hacer para que no afecte mi salud?

He pasado noches sin pegar un ojo por estar pensando en hacer mi trabajo. He estado de malhumor, impaciente y poco tolerante con mis hijos, marido, padres, colaboradores, asistentes, amigas, la cajera del supermercado... En una época no me daba cuenta de que eso no estaba bien, que era un síntoma que atender... más allá de los resultados que se pudieran ver para el afuera.

Mi método es: "Parar. Reflexionar. Re-acomodar". Y desde ese lugar, ir hacia el "hacer". Tomar conciencia de lo que uno es, y de lo que quiere ser. ¿Qué legado dejaremos a nuestra familia y/o a las nuevas generaciones?

Si no quiero que mi hijo o la sociedad sean malhumorados y agresivos, primero hay que empezar por casa. Y así sucesivamente con todos los temas que nos preocupan y que amenazan a nuestra comunidad: alcohol, droga, desinterés, otras adicciones. Cuando me di cuenta de que no quería que mis hijos fueran adictos al celular, empecé por apagarlo cuando llegaba a casa y a no dormir con el celular en mi mesita de luz. Pues me había sorprendido en varias oportunidades que ellos, con sus cinco añitos, me dijeran: *Mamá, podés dejar ese teléfono por favor, estás todo el día mirando esa pantallita...*

Un ejercicio práctico que adopté para estar en plena conciencia es respirar profundo. ¡Sí! Respirar profundo. Sintiendo esa respiración. El modo como respiramos puede influir en nuestro estado de ánimo y hacernos recuperar la calma, la conexión con nuestro verdadero ser. Por ejemplo: exhalar más lentamente que inhalar calma la mente; inhalar más lentamente que exhalar, la energiza; y equilibrar la entrada y la salida de aire, también equilibra los hemisferios derecho e izquierdo del cerebro. La simple meditación profunda es un puente para estar plenamente presentes. No se necesita más que un instante, un minuto diario. Y con el tiempo, ese instante se va expandiendo.

Exigencia, expectativas, disfrute, armonía

Tener una mejor calidad de vida. Estar alineados en todos los aspectos de la vida. Encontrar y traer armonía a nuestra vida. ¿Es posible? Creo que es un trabajo permanente, para siempre.

Como vengo sosteniendo, no cabe duda de que las mujeres hacedoras deben poseer mucha fuerza, pasión, acción, entusiasmo, firmeza, entereza, ahínco –incluso algo de obsesión– y tantas otras cosas que se necesitan para concretar las ideas y los sueños en realidades... Habilidades de comunicación, persuasión, negociación, creatividad, capacidad de construir redes de relaciones, gozar de credibilidad y visibilidad. Estar abiertas a una capacitación constante, especialmente en esos aspectos que queramos mejorar.

Por lo menos en mí, muchas veces todo esto se traduce en estar pasada de revoluciones, pasar noches en vela, estar ansiosa, necesitar días de cuarenta y ocho horas. ¡Es como vivir en un malestar permanente por no poder hacer todo!

Y eso es injusto para nosotras mismas. ¿Con qué vara nos estamos midiendo? ¿Quién dice todo lo que tenemos que hacer? ¡Nosotras mismas! Exigencia, pura exigencia. Queremos y buscamos perfección. Es una lucha perdida.

También he sentido una mochila de cosas para hacer. Entendí que esa mochila eran mis propias expectativas y las expectativas que creía que los otros tenían hacia mí. ¡Otra vez! Exigencia, perfección...

Aquí es donde me pregunto, les pregunto y nos pregunto: ¿cómo podemos hacer para estar en eje? ¿Cómo lidiar con todas estas emociones y exigencias que de una manera u otra aparecen en nuestras ajetreadísimas vidas de "mujeres que todo lo pueden"?

Mi propia exigencia fue –y seguirá siendo– un gran escollo a superar. Cargo con el desafío de aceptar que no puedo hacer todo y, mucho menos, todo y al mismo tiempo. Por cada cosa que elegís hacer, hay cientos que estás dejando de lado. Y está bueno ser conscientes de eso, pues si no, caemos en la fantasía de que podemos hacer todo y, además, sin pedir ayuda.

Recuerdo que en una de mis primeras notas periodísticas, cuando lideraba la consultora de comunicación, me preguntaron en qué consideraba que estaba la diferencia a la hora de asesorar y trabajar con los clientes. Sin dudar, contesté: *La diferencia está en los detalles*.

En ese momento me refería a los detalles "mínimos". Detalles como mandar salutaciones de cumpleaños y aniversarios a toda tu base de contactos en tiempo y forma, colocar flores frescas en escritorios y escenarios en ocasiones especiales, cumplir a rajatabla con los cronogramas establecidos, llegar diez minutos antes a todas las reuniones, devolver las llamadas al instante, leer todos los diarios todos los días... Podría llenar páginas y páginas enumerando todo lo que se debe hacer "correctamente" y "sin dejar nada librado al azar"...

¡Dos cosas imposibles! Siempre pensando desde la "perfección". Pero la realidad es otra: ¡la realidad es imperfecta, los humanos somos imperfectos!

"Sin dejar nada librado al azar". Como si tuviésemos el "control" de las cosas. Como si no existiesen los imponderables, como si pudiéramos con "todo". Esto que tanto nos cuesta asumir a algunas de nosotras. Tal como dicen los sabios de todos los tiempos: el arte de la felicidad no consiste en controlar los acontecimientos, sino en cómo respondemos a los acontecimientos.

Reconozco que a mí el desafío de hacer, generar, producir, concretar acciones, eventos y realidades me genera adrenalina, excitación, pasión y entusiasmo vital. Y siento que esa "adrenalina" es necesaria para generar ese motor interno, para darte las fuerzas necesarias para producir acontecimientos, "hacer que las cosas pasen". Ahora, ¿cómo conciliar esa excitación "adrenalínica" con estar con los pies sobre la tierra para no desbandarte y llenarte de estrés?

Hoy sigo pensando que la diferencia está en los detalles... pero cambié radicalmente el foco de esos detalles...

Hoy disfruto de un hermoso día soleado, o de una hermosa mañana de llovizna. Disfruto y agradezco por levantarme todos los días, y doy gracias por mi salud y la de mi familia y mis seres queridos. Puedo concederme llegar unos minutos retrasada a alguna reunión, e incluso cambiarla por una asertiva conversación telefónica, si es que me vi imposibilitada de cumplir con ese encuentro. Me permito leer solo un resumen de las noticias más importantes, o a veces ni siquiera eso (y aseguro que, así y todo, ¡nunca se me pasa una noticia relevante!)

Creo que el antídoto contra la exigencia y el estrés lo encontré en el disfrute del presente. Disfrutar el camino, saber que la energía es una, y que a veces requiere que esté focalizada en una cosa y a veces en otra… Entendí que la manera de empezar a alivianar esa mochila que sentía tenía que ver con explorar lo que realmente quería yo al respecto, sobre mis propias expectativas. No tenía nada que ver los otros, sino conmigo.

Viene a colación este recuerdo… Estaba muy nerviosa durante los minutos previos a dar unas palabras de bienvenida en la V Jornada de Reflexión "Mujeres que Lideran el Cambio", de Voces Vitales Argentina en septiembre de 2013. Una de mis mentoras se me acerca y me pregunta al oído: *¿Estás disfrutando este momento? ¿Te das tiempo para observar todo lo que has y han generado?*

A veces existen esas preguntas oportunas, esas que quizá te hicieron en otro momento, pero que no era "tu" momento. Esas preguntas que te abren un mundo nuevo… y fue precisamente ese uno de esos momentos "ajá". En los que te cae "la ficha", en los que mágicamente se te ordenan los pensamientos y/o se te acomoda algo internamente…

Y viéndome ahí, después de cinco intensísimos años, recién ahí, me permití sentir. Y sentí una inmensa felicidad que me inundaba. No podíamos celebrar de una mejor manera nuestro quinto cumpleaños sino abriendo nuevamente y por quinta vez consecutiva las puertas a nuestra red de mujeres para seguir reflexionando e inspirándonos en el avance de la mujer en la sociedad. Más de cuatrocientas mujeres se hicieron presentes; algunos hombres también estaban por allí. Un auditorio sumamente calificado, mujeres líderes de diferentes ámbitos: líderes políticas, económicas, sociales, mujeres emprendedoras, de la cultura, académicas, científicas... mujeres... mujeres.

Una sensación de fascinación al ver cómo año a año fuimos creciendo sensiblemente en cuanto a nuestro rol de referentes en la materia, en cuanto a nuestra responsabilidad como agentes de cambio.

Fue también el momento en que me di cuenta de que era muy dura, inflexible, no solo conmigo misma, sino en mi forma de liderar. También me di cuenta de que no paraba ni a disfrutar lo logrado. Que solo me focalizaba en hacer, hacer, hacer. Ese mismo día me prometí a mí misma disfrutar del camino, de los logros, por chiquitos o grandes que fueran.

En otra ocasión, muy preocupada, le llevé a otra de mis mentoras una inquietud: pensé que me estaba volviendo tremendamente obsesiva con el nivel de detalle y planificación que le ponía a las cosas.

No solo llevaba mi agenda personal y profesional, sino la de mi equipo de trabajo, la de mis hijos, e incluso la de mi marido. Ya no me alcanzaba con mirar el día, directamente tenía que planificar sobre el año calendario, y a veces con la mirada puesta en los años venideros.

La verdad, me asustó el grado de acelere que eso traía aparejado, y temía estar al borde de un nuevo tipo de obsesión extrema.

Para mi tranquilidad, lo minimizó completamente aludiendo a que evidentemente era una mujer que tenía muchas actividades, responsabilidades diversas y que, lógicamente, la única manera de poder cumplirlas con éxito era mediante una buena organización y planificación. *Mientras más organizada sos, más posibilidades de incorporar actividades a tu agenda, así como de priorizarlas y detectar lo importante de lo urgente, y así sucesivamente,* me dijo.

Desde ese "disfrute" que mencionaba unas líneas atrás, es que me permití conectarme con mi parte interior, mi alma, mi espíritu, y hoy, además de seguir incorporando actividades a mi vida, a mi agenda, quiero y necesito que tengan más que ver con un espacio de más cuidado hacia mí misma y a los que me rodean. Me focalizo en todas esas actividades que no encontraron hueco en los últimos veinte años: yoga, meditación, masajes, trabajos de bioenergética, cuidado integral y holístico de la salud, todo cuanto me ayude a conectarme más con mi ser interior.

La tentación de suspender esas actividades frente a algo "urgente" sigue acechando en mi cerebro, pero rápidamente mi corazón me recuerda que mi nuevo desafío es conciliar verdaderamente todos los aspectos de mi vida que me hacen verdaderamente feliz. No tapar ninguno, no esconder el sol con las manos, no dejarme sucumbir a esa tentación a riesgo de mi salud, mi familia y la armonía en mis relaciones.

Esas actividades me centran, me devuelven a mi eje, me alejan de los conflictos innecesarios, del exceso de ego, me focalizan en lo justo y necesario para facilitar que los acontecimientos se sucedan, para conectarme con lo que priorizo en cada momento de mi vida. Me sirven para no pasarme de revoluciones, para no enroscarme, para estar más tranquila, serena, incluso para no agredir mi cuerpo y mi mente. ¡Y veo claramente los resultados positivos que generan en mí y a mi alrededor!

Asimismo, entiendo que no puedo quedarme permanente en un estado alfa, "haciendo om" (¡aunque a veces me encantaría!). Tengo que hacerlo equilibradamente, coexistiendo con esta energía hacedora que también tengo dentro, y es lo que me permite conectarme con lo que quiero ver concretado en el plano material.

Sri Ravi Shankar, fundador de "El arte de vivir", sostiene que no puede haber éxito con estrés. Cada uno sabrá cuál es el "éxito" que quiere, e incluso elaborará su propia definición, pero claramente no puede ser con estrés.

Una vez tuve la oportunidad de escuchar a un neurólogo bastante reconocido en una conferencia, que se refirió a la obsesión como la base de la creatividad, la originalidad. Según este profesional, la obsesión con una temática es la que permite crear, generar, idear, justamente en los momentos de ocio y tranquilidad, las ideas más originales o efectivas para concretar los objetivos, para materializarlos.

Así como cada uno desarrolla a lo largo de su vida su propia definición del éxito, creo que cada uno tiene que desarrollar su conexión con la vida, encontrando esas actividades de ocio y tranquilidad que le darán la oportunidad de otorgar espacio a generar ideas más originales y efectivas para concretar sus objetivos. Yo las encontré en las actividades que mencioné antes, pero también hay otros canales que sirven tanto o más, como pintar, trabajar con arcilla, escribir, cantar, bailar, el arte en todas sus formas. Reír, orar, caminar, conectarse con la naturaleza...

En fin, este es el gran desafío de todas y todos: hacer con éxito, sin estrés, armónicamente, disfrutando el proceso, la vida, el camino elegido conscientemente, vitalmente.

Sabiduría viene del latín *sapere*, del cual derivan dos palabras: saber y sabor, términos que indican lo mismo, un saber que sabe, gustándola, de qué trata la vida. En palabras de Hugo Mujica, *sabio no se es de una vez para siempre, ser sabio es el sostenimiento de una relación con la vida, es una escucha a la vida, a su decirse, su revelarse, su contarnos en lo que nosotros vive y vivió.*

Así como los últimos veinte años estuve atenta a cómo hacen lo que hacen las mujeres líderes pero focalizada en su hacer para el afuera, en sus logros visibles, lo que se ve, el exterior, ahora me interesa explorar y saber cómo hacen las mujeres líderes para el adentro, para buscar esa serenidad interior que tanto se necesita, no solo para tomar decisiones acertadas, para dirigir armoniosamente la orquesta que a cada una le toca, sino para ser auténtica, para encontrar a su "sabia" interior, para ser fiel a su esencia...

En este momento, cerrando este libro, estoy transitando mi séptimo septenio de vida, el que va de los cuarenta y dos a los cuarenta y nueve años. Se trata de una etapa muy personal, que posibilita, en el mejor de los casos, apuntar hacia una libertad profunda,

Quizá de eso se trata mi próximo ciclo vital...

Siento que estoy gestando una re-edición de mi misión...

... Quizá, inspirarte a empoderarte a vos misma, y a sanar, para luego empoderar a otras, y ayudarlas a sanar también...

Uno está en proceso de sanación cuando hace trabajos introspectivos... Es un trabajo de por vida... Sanar es TRASCENDER.

Ya estoy proyectando mis próximos veinte años de vida, asumiendo la bendición de vivirlos...

No dejo de preguntarme cuál será el desafío que encontraremos las mujeres en los próximos veinte, treinta años.

Sinceramente, no lo sé.

Lo que sí creo es que las respuestas las traerán las nuevas generaciones. No dudo de que aprenderemos muchísimo de ellas. Nacieron integradas a la tecnología, al disfrute de la vida... (y tienen sus cositas también, como nosotros tenemos las nuestras...).

De esta unión, del intercambio generacional, de los aprendizajes sobre los problemas y soluciones encontrados y compartidos, devendrá más sabiduría. Se lo debemos a nuestras hijas e hijos, sobrinas y sobrinos de sangre o postizos. Se lo debemos a nuestra humanidad, a nuestra "Madre", el planeta Tierra.

**Gracias por leerme, gracias por dejarme
pensar en voz alta junto a vos.**

Será un verdadero placer continuar esta conversación, seguir filosofando, meditando, discerniendo, reflexionado al respecto...

Sigamos en contacto: mariagabrielahoch.mgh@gmail.com

www.**mariagabrielahoch**.com

"Eres maestro de lo que has vivido,
artesano de lo que estás viviendo
y aprendiz de lo que vivirás".
anónimo

■ Bibliografía

(porque somos el 80% de lo que leemos quisiera contarles las lecturas
de las cuales me inspiré, formé, interesé, y los libros que han influenciado
en mi percepción sobre la vida hasta el momento)

AVRUJ, Gabriel, y DE LA IGLESIA, Pablo, *Liderazgo espiritual. Despertar las emociones del alma y manifestar una existencia con propósito evolutivo*, Kier, Buenos Aires, 2013.

BELLI, Gioconda, *El país de las mujeres*, Norma, Buenos Aires, 2010.

BERG, Karen, *Dios usa lápiz labial. Kabbalah para mujeres*, Kabbalah Center International, USA, 2005.

BUCAY, Jorge, *El camino de la espiritualidad. Llegar a la cima y seguir subiendo*, Vintage Español, 2010.

BUFFETT, Peter, *La vida es como tú la hagas. Encuentra tu propio camino hacia la realización*, Océano, México, 2010.

CHAKTOURA, Eduardo, *Inteligencia espiritual. Para atrevernos a vivir la vida que queremos*, Random House Mondadori, Buenos Aires, 2015.

CHARLAS TEDX
http://www.ted.com/talks/angela_lee_duckworth_the_key_to_success_grit
http://www.theatlantic.com/magazine/archive/2012/07/why-women-still-cant-have-it-all/309020/
http://www.ted.com/talks/nigel_marsh_how_to_make_work_life_balance_work

CORIA, Clara, *El sexo oculto del dinero. Formas de dependencia femenina*, Paidós, Buenos Aires, 1991 (primera edición: 1986).

CORIA, Clara; FREIXAS, Anna, y COVAS, Susana, *Los cambios en la vida de las mujeres.*

CHOPRA, Deepak, *Las siete leyes espirituales del éxito. Guía práctica para la realización de los sueños*, Grupo Editorial Norma, 1995.

— Sincrodestino.

CHOPRA, Deepak, y TANZI, Rudolph, *Super cerebro.*

COTTRELL, David, *Monday Morning Choices: 12 Powerful Ways to Go from Everyday to Extraordinary*, Harper Collins, 2007.

— *Monday Morning Mentoring. Ten Lessons to Guide You up the Ladder*, Harper Collins, 2006.

DABBAH, Mariela, *Poder de mujer. Descubre quién eres para crear el éxito a tu medida*, Press, USA, 2012.

DEBELJUH, Patricia, y ESTOL, Clarisa (colab.), *Varón + mujer = complementa-riedad*, Editorial Empresarial, Buenos Aires, 2013.

DEBELJUH, Patricia, y LAS HERAS, Mireia, *Mujer y liderazgo. Construyendo desde la complementariedad*, LID, Buenos Aires, 2010.

DEL BOSCO, Paola, y FRAILE, Guillermo, *El desafío de cada día. Trabajo y familia (re)conciliados*, Temas, Buenos Aires, 2010.

DYER, Wayne, *Diez secretos para el éxito y la paz interior.*

FERRAZZI, Keith, y RAZ, Tahl, *Never Eat Alone and Other Secrets to Success. One Relationship at a Time*, Double Day, USA, 2005.

FRANKL, Viktor, *El hombre en busca de sentido.*

FUNDECE, ponencias en la jornada "La Mujer y la Calidad de Gestión", llevada a cabo en octubre de 2007 en la ciudad de Buenos Aires, Argentina.

— *The Confidence Gap*
http://www.theatlantic.com/features/archive/2014/04/the-confiden-ce-gap/359815/

— *Women Still Can't Have it All*
http://www.theatlantic.com/magazine/archive/2012/07/why-women-still-cant-have-it-all/309020/

— *Why Not a Woman President (documental)*
http://www.post-gazette.com/ae/movies/2014/03/07/Film-asks-Why-not-a-wo-man-president-MOVIE-PREVIEW/stories/201403070035

GADOW, Fabiana, *Desarrollo y coaching para mujeres líderes.*

GROBOCOPATEL, Andrea, *Pasión por hacer. Historia de vida, familia y empresa*, Granica, Buenos Aires, 2014.

GRÜN, Anselm, *La mitad de la vida como tarea espiritual. La crisis de los 40-50 años*, Colección Espiritualidad, Narcea.

HELLER, Lidia, *Nuevas voces del liderazgo. Dilemas y estrategias de las mujeres que trabajan*, Grupo Editor Latinoamericano, 2004.

— *Voces de mujeres, actividad laboral y vida cotidiana*, Colección Techo de Cristal, Sirpus, 2008.

JOHNSON, Robert, *Ella.*

KABAT-ZINN, Jon, *Wherever You Go, There You Are.*

KLIKSBERG, Bernardo, *Emprendedores sociales, los que hacen la diferencia*, Temas, Buenos Aires, 2011.

LLAMAS, Alejandra, *El arte de conocerte. Para conquistar tu vida debes saber quién eres*, Grijalbo.

MORA, Caitlin, *Cómo ser mujer*, Anagrama, 2013.

NELSON, Alyse, *Vital Voices. The Power of the Women Leading Change around the World*, Jossy Bass, USA, 2012.

OTAZO, Karen, *The Truth about Being a Leader... And Nothing but the Truth*, Pearson Education, USA, 2006.

PEARL, Eric, *La reconexión. Sana a otros, sánate a ti mismo.*

PIERRAKOS, Eva, y SALY, Judith, *Del miedo al amor, el método Pathwork para transformar la relación de pareja.*

PIERRAKOS, Eva, y THESENGA, Susan, *Encontrando a Dios en tu interior.*

RUIZ, Miguel, *Los cuatro acuerdos. Un libro de sabiduría tolteca.*

SANDBERG, Sheryl, *Lean In: Women, Work, and the Will to Lead*, Alfred A. Knopf, USA, 2013.

SHAW, Martin, *El diamante de la efectividad. Como ser más humano para influir en los resultados.*

SHINODA BOLEN, Jean, *El millonésimo círculo*, Kairós, Barcelona, 2004 (primera edición: 1999).

— *Las brujas no se quejan: un manual de sabiduría concentrada.*

— *Las diosas de cada mujer. Una nueva psicología femenina*, Kairós, Barcelona, 1984.

— *Mensaje urgente a las mujeres*, Kairós, Barcelona, 2006.

SHIP, Claire, y KAY, Katty, *Womenomics*, Harper Collins, USA, 2009.

SIMONE, Mónica, *Sabiduría femenina. El poder de tu sacerdotisa interior*, Kier, Buenos Aires, 2008.

SINAY, Sergio, *Para qué trabajamos. Ser lo que hacemos o hacer lo que somos*, Paidós, Buenos Aires, 2012.

SORDO, Pilar, *¡Viva la diferencia! (...y el complemento también). Lo femenino y lo masculino*, Grupo Editorial Norma, 2010.

STEINEM, Gloria, *Revolución desde adentro*, 1993.

STENGEL, Marilen, *Ahora yo. Ser mujer, tener 40 y elegir tu vida*, Ediciones B, Buenos Aires, 2013.

— *De la cocina a la oficina*, Capital Intelectual, Buenos Aires, 2015

— *La mujer presente. Hacia un verdadero protagonismo femenino*, Ediciones B, Buenos Aires, 2008.

THESENGA, Susan, *Vivir sin máscaras.*

TOLLE, Echart, *El poder del ahora.*

— *La nueva era.*

YOUNG, William Paul, *La cabaña.*

Made in the USA
Columbia, SC
14 February 2022

55661718R00138